中公新書
ラクレ
88

苅谷剛彦

なぜ教育論争は不毛なのか

学力論争を超えて

中央公論新社

目次

なぜ教育論争は不毛なのか――学力論争を超えて

序　教育の論じ方を変える

実証研究に基づく政策論議を

「どうもおかしい。常々そう思いながら、問題の所在を正確に言い当てられず、心にくすぶり続ける疑問がある。教育改革もその一つだ。受験競争の弊害をなくそう。子供にゆとりを与え、学習意欲を高めよう。かけ声はよかった。だがこの十年の改革の末に私たちが目にしているのは、基礎学力や学ぶ意欲の衰えと、格差の拡大ではなかったろうか」

この文章は、拙著『階層化日本と教育危機——不平等再生産から意欲格差社会へ』（有信堂高文社、二〇〇一年）について、朝日新聞編集委員の外岡秀俊氏が朝日新聞紙上に書いてくださった書評の一節である。

多くの人びとが「どうもおかしい」と感じながらも、それを明確に把握できない問題、「かけ声はよかった」のだが、その後の展開が思った効果を上げていない問題、あるいはそれどころかかえって思いも寄らない結果を生みだしてしまうような問題。このような問題を見つけだし、それに表現を与え、しかも、できるだけ実証的な研究の成果を用いて、それを解き明かすこと——私が一社会学徒として教育の研究を志して以後心がけてきたのは、こうした問いの立て方・答えの出し方であった。しかも、その成果をできるだけわかりやすく、多くの人びとに伝えることによって、抜け落ちていた論点を広くパブリックに知ってもらう。その成否は別として、こう願って教育の研究をしてきたつもりである。

このような考えを研究に込めるようになったのは、一九八〇年代後半の留学経験によるところが大きい。大学院時代、私はアメリカ・イリノイ州にあるノースウエスタン大学で社会学を学んだ。とくに最後の二年間は、同大学の都市問題・政策研究センター(現在は社会政策研究センター)の研究助手を務めた。

当時、この研究センターには、教育が社会の不平等解消にどれだけ無力であるかを実証した『不平等』の著作で有名なクリストファー・ジェンクス教授や、高校の能力別クラス編成(トラッキング)や郊外の公共住宅政策が教育の不平等の改善に及ぼす影響の研究で知られるジェームズ・ローゼンバウム教授などがいた。二人とも私の博士論文の審査委員であり、ローゼンバウム氏は私の指導教授でもあった。

彼らを含め、都市問題や社会政策を論じるうえで、教育が重要なテーマであるとの位置づけのもと、さまざまな実証研究が行われていた。私は、若者の失業問題に直結する「学校から職業への移行」問題の日米比較を行っていたのだが、アメリカでは教育問題を論じるにしても、政策と実証研究とが分かちがたく結びついていることを身をもって体験した。

この時の経験は、その後の私の研究の方向づけに大きな影響を残した。アメリカでは、教育は子どもや学校の問題としてだけではなく、不平等や社会秩序の問題とも関係する、社会政策の重要な対象と考えられている。それゆえ、政策評価を含め、教育が社会にどのような影響を与えているのかを実証的に解明する研究がさかんに行われている。その成果は、現実の政策論議にも深く関わり、マスメディアにおいても、研究成果をもとに政策を論じる気風があった。教育という公共政策を研究する社会科学者にとっても、研究成果をアカデミズムの内部だけに閉じこめようとしない傾向が強かったのである。

論壇と審議会

このような経験からか、私の目には、日本の「論壇」は、ほとんど無縁の世界に映っていた。私の論壇イメージは、学識経験豊富な学者・文化人の言論の場である。実証研究に頼って専門的な議論をするのではなく、自らの学識（＝教養や思想）をもとに、さまざまな問題を批評するのが論壇人（＝批評家、評論家）のイメージだった。

それに比べ私の研究は、現代思想の最先端のきらびやかな理論をまとっているわけでもない。幅広い知識をもとに、重厚な議論ができる教養を備えているわけでもない。中学生や高校生を対象にアンケート調査をしたり、教育関係者への聞き取りに出かけたり、雑誌や本から教育言説を取り出したりといった、地味な実証研究に従事してきたのである。

ただ、帰国後の私は、実証研究から得られた知見を、なんとか公共的な議論の場にのせたいと願っていた。アメリカでの経験に加え、日本での教育政策の論じ方、政策決定のプロセスに大きな不満と疑問を持ったからである。

教育政策の骨格を決める文部科学省の各種審議会は、論壇にも似て、学識豊かな学者・文化人の議論の場に見えた。教育研究の専門家が入る場合も、たいていは「学識者」としての役割が強い。実証研究の成果を直接用いて政策論議をするのではなく、それまで蓄えてきた「学識」や「経験」をもとに発言することが期待されているのである。

それゆえか、審議会の議事録を読むと、政策を推し進めていくうえで、基本となる情報があまりに少ないことに驚かされる。提供されるデータは限られており、しかも、政策の根幹に触れるような深く鋭い分析はほとんど行われない。

日本でも、かつては研究をベースに政策決定を行おうとした時代があった。「四六答申」と呼ばれる中央教育審議会の昭和四十六年答申の中間報告書は、資料編だけで三〇〇ページを超える重厚なものだ。そこには、当時の一流の研究者を動員して収集した豊富なデータと、詳細な分析の結果が示されている。それに比べ臨教審以後の教育関係の審議会は、どれも研究を基盤とした政策とは言い難い。しかも、政策立案にとどまらず、実施に移された後においても、アメリカのように実証研究をベースにした政策評価の議論は出てこない。

ミクロの視点とマクロの視点

欠けているのはデータだけではない。教育を論じる際に、あまりに社会科学的な視点が弱いのである。マスコミや教育学者を含め、教育を論じる多くの人びとは、一人ひとりの子どもの問題、個々の教室や学校での実践の問題と、制度としての教育システム全体の問題とが、そもそも別次元に属することを明確に意識しているようには見えない。

経済学には、マクロ経済学とミクロ経済学とがある。個々人の行為レベルの問題を扱うミクロ経済学だけでは、日本全体の経済運営を決める財政などのマクロ問題には対処できない。その点は十分認知されている。ところが、こと教育については、マクロ教育学（教育システム論）のような視点が重要であることがなかなか理解されないのである。

例えば、「自ら学び、自ら考える力」の育成をめざす教育改革にしても、教室でいかに実践すべきかという問題と、日本の学校制度全体でそれがいかに可能になるかという問題とは、異なる次元に属する。後者の場合には、教員養成や研修プログラムの問題、学校への資源配分の問題、異なる学校段階での学習の連続性・体系性の問題など、教室レベルの問題としてなら考えなくてよいさまざまな問題が絡んでくる。しかも、これらはみな、相互に関係を持つ体系《システム》をなしている。

さらに言えば、子どもたちの学習意欲が多様であるのと同様に、教師たちが教育実践を改善しようとする意欲も能力も現実には多様である。多様な教師集団を前提に、制度全体で子どもの「自ら学び、自ら考える力」を育成できるシステムを構築することは、やる気と能力のある一人の教師が、自分の授業を通じて「自ら学び、自ら考える力」を子どもに育てようとする場合とは異なる問題を含むはずである。

日本の教育制度の実態をふまえたうえで、どうすれば教育をシステムとして少しでもよい方向に変えていけるのか。まさに、その点を論じることが、〈社会的 societal〉なレベルで教育を問題とすることにほかならない。『階層化日本と教育危機』を通じて、階層化という視点から、日本の教育システムの産出《アウトプット》の問題を描き出そうとしたねらいも、〈社会的 societal〉レベルの問題を明示することにあった。

ところが実際には、こうした論点が十分理解されないまま教育の改革が進む。そこで掲げられる理想には誰も異論を挟めないのだが、それが実際の教育システムを動かす目標に据えられた途端、思いも寄らない問題を生みだすことに気づいた。意欲の全般的な低下と階層間格差の拡大である。にもかかわらず、〈社会的 societal〉なレベルの問題に目を向ける視線さえ、教育界には欠落していた。教育研究も、理想主義的な教育改革の前で、批判力を失いつつあるように見えた。

そこで私は、気づかれない問題の実態を解明すると同時に、そうした問題に目が届かない人びとの教育の論じ方自体をも研究の対象に据える両面作戦に出ることにした。ただし、いくら研究しても、アカデミズムに向けて発表するだけでは、現実は変わらない。アメリカのように政策研究というルートを通じて政策への影響力を持てない日本で研究をする以上、より広い公共の議論の場に研究成果を乗せることが、私には、論点認知を進めるうえでの近道に思えたのである。それも、社会科学が本来備えている、批判性という武器を手放さず、実態論より「べき論」や印象論に傾きがちな教育論争にも巻き込まれずに、である。実証研究が備える批判力とリアリズムを最大限に生かしたいと思ったのである。その延長線上に、結果として、総合誌や新聞への発表という手法があった。

この格闘がどこまで続くのか、私にもわからない。地道な実証研究を仲間たちと続ける中で、人びとが「どうもおかしい」と感じる問題が見つかるかぎり、手を休める暇はなさそうである。それだけ、教育の場の魔力は手強いということである。

第一部　学力低下論争の次に来るもの

1　もう、学力論争は終わった

全国学力調査をどう見るか

――「学力低下論争」が一九九九年から始まって四年が経ちました。この論争の火付け役のお一人で、論争の中心にいた苅谷さんが、今、この論争についてお感じになっていることを、最初にお聞かせ願えますか。

「どのように議論するかを考えるにあたり、ひとつの前提となるのは、二〇〇二年十二月に発表された文部科学省（以下、文科省）の全国学力調査の結果です。ある意味で、これはもう論争以前の問題となるからです。つまり、まさに公式見解が出たわけです。文科省の全国調査で、しかも、指導要領の実施状況を調べるという目的で行われた調査の結果が出て、それに対する文科省の見解も出ているわけです。二〇〇三年三月末にもう一度分析した結果が出ると聞いていますが、一応大筋の結果はすでに出ているわけです。だから、あれをどう見るか、ということが、これからの話の大前提になります。

その結果をふまえると、ここでは、学力が低下したか否かという議論はもうできなくなったということです。あの結果を見て、少なくとも低下はまったくないと言うことはできなくなってしまいました。人によってはあの結果を『学力』と呼ぶかどうかは別かもしれません。ただし、私は最初から学力という言葉を使わずにこの問題を提起してきました。それでも『結果』は出たのです。

学習指導要領という教えるべき内容を定めた制度があり、それに準拠して教科書をつくるべし、という教科書検定の制度がある。そこで教えるべきと定められている内容がどれだけ定着しているのかを、行政に携わり指導要領をつくっている人たちが自ら調査して、しかも過去にも同じ立場で調査をしたものと、同一の問題で比較をしてみた。その結果、ああいう結果が出た、ということは事実です。そして、その中で、過去と共通の問題のうち、何問低下して何問上がったというのもまぎれもない事実。低下した問題数が半数近くに及んでいたことも事実。そういうトレンドの中で、もうこの時点で、『学力低下という問題が存在しない』という、文科省がそれ以前に言っていた見解は通用しなくなってしまいました。しかも、それを遠山敦子文部科学大臣が認め、憂慮するコメントを出したことも事実です。

だから、あの結果をどう見るかというのは、もちろんまだ解釈の余地があるにしても、少なくとも数字だけを見れば、トレンドとしては上昇傾向にないことは明らかです。現状維持かどうかというと、やや低下傾向にあることも明らかです。だから、低下していないという、事実認定をめぐる議論自体は、この時点では、もうやっても仕方がない。問題は、あの結果をふまえたうえで、今後何が起こると予想するか、それにどう対処するか、ということです。そうすると、極端な話、もう学力『低下』の論争ではないと思うんです。

そうだとすると、今まで学力低下論争と呼ばれていたものは、そのための助走路だったことになる。こういう問題提起を経なければ、ああいう事実自体が出てこなかったでしょう。調査が存在しなかった可能性もあるのです。たくさんのIFを重ねて言うと、まず『もしも』学力低下という問題提起がされなかったら、そして、『もしも』それが世の中にこれほど受け入れられなかったら、さらに言えば、『もしも』それによって実態把握という方向に行政が動かなかったら、未だに私たちは今回の結果が示すような事実を知らないままだったかもしれません。そうだったら、私たちは何をしていたでしょうか。教育改革の進め方にどんな対応をしていたでしょうか。こういう視点から、ものを考えることができるようになったこと。先ほど、文科省の調査を大前提と言いましたが、これから何が起きるかを考える際にふまえざるを得ない前提になるからです」

——この論争の特色は、データから始まったところにあると思います。大学の数学関係者が大学生の学力が下がっているデータを示し、苅谷さんも子どもの学習時間が実際には減少していることを示しました。その後も基本的にはデータをもとにして、事実に即したリアルな議論が生まれています。データなしでの議論ができにくい状況が生まれたと言えるでしょう。ですから、この論争がなかったならば、従来型の観念論で良い教育、悪い教育というような議論を今もしていた可能性があります。

「私が一貫して批判してきたのは、二〇〇二年から実施の新学習指導要領の骨格を決める九五〜九八年の時点で、つまり九八年に出た指導要領の方針を決める中教審、教課審の議論の中で、どこまでそういった実態をふまえた議論がなされていたのかということでした。そこが私の出発点ですから。

そして、私が集めたデータでは、審議会の認識とはまったく逆向きのトレンドだった。子どもは、ゆとりを失っているのではなくて、むしろ勉強離れであり、学習意欲の低下であり、あの時点ではなかなかデータはなかったけれど、おそらくそこから考えれば、言わゆる教科書で教えるべき基本的な内容の定着がおろそかになっている可能性があるだろうというのが、私の判断でした。と同時に、これは単なる低下ではないと。格差拡大と階層差が結びついた低下だということは、その時点で、一九九八年頃から私の議論の出発点にあった。部分的なデータだったけれど、それを持っていたから言ったわけで、最初から『観念論』でやるつもりはなかった。

そうやって考えていくと、あのまま観念論で教育論争をしていたらどうなっていたか、と想像してみると、あの論争の到達点もわかるはずです。

ひとつは、観念論自体の論じ方が、すでに、学力論争があったために変わってしまったことに気づくでしょう。教育に関する理想論や観念論的な論じ方が、ある意味では従来と違う形を取らざるを得なくなってしまった。その点は大きな変化ですよね。

もうひとつは、文科省が実際に全国調査までやることになって、しかも結果が出てきたら、ああいう内容だった。それに対して、文科省は『良好』だと言った。その評価に対しては新聞各紙から、かなり厳しい批判が起こりました。社説を見ても、その点は明らかです。

何ポイント低下したかというのは程度の問題だから、その数字に対する評価はいろいろあるにしても、少なくともマスコミに言わせれば、『文科省は国民が納得するような説明責任を果たしていないではないか』ということが批判のポイントでした。つまり行政が説明責任を果たしているのか、この結果を厳正に解釈したうえで次の政策につなげる、そういう問題のとらえ方を行政はできていないではないか、という点が文科省への強烈な批判だったと思うんです。こういう批判が起きたのも、従来型の教育論によくありがちな、観念論に縛られない論争があったからですよね。文科省の政策が、実は実態をふまえたものではないことも明らかになってしまった後だったし」

「詰め込み」に戻ればいいのか

「私自身、一人の当事者だったから感じていましたが、九九年の最初のころは、教育改革によって学力が低下するのではないか、と言っただけで、たくさんの批判が上がった。マスコミの論調は今とは逆向きでしたからね。教育改革を支持する論調が強かった。ところが、今は、そのマスコミが文科省の姿勢を批判するわけです。人びとの教育の論じ方はこの数年で大きく変化したのではないでしょうか。

ただし、次に、それが政策的にどちらの方向に進むのか。論じ方の変化をどうやって生かしていくのか、というのは次のステップの議論となるでしょう。それでも、まずは、そうやって私たちが教育を論じる時の論じ方が変わってきたことは、やはり論争のひとつの成果だと言っていいと思うんです。

ただ、一方で学力低下をくいとめるという論じ方自体が、すでにひとつ別の基調になってしまったために、ある意味では、非常に単純な揺り戻しのような議論も出ている。あるいは、もう『学力低下』に言及しないと教育について語れなくなってしまったとか……。そういうネガティブな影響もありますすよ」

——確かに、二〇〇〇年に入って「文部省（当時）」対「学力低下論者たち」という図式が生み出されて以降は、その図式が支配的になり、文部省バッシング一色になってしまいました。論調が一枚岩になってしまった面がありますね。

『学力低下論は〝時代の狂気〟だ』と書いた教育学者の方もいたし、『学力低下』の声が大きすぎて、それ以外の声を出すのがはばかられるようになったと書いた人もいます……。しかし、これに対しては市川伸一さん（東京大学大学院教育学研究科教授）が『学力低下論争』（ちくま新書、二〇〇二年）の中で多少反論を書いています。つまり新学力観をめぐる議論があった時はまさに今とは逆向きの風の中で、同じ状況だったのではないかというのです。私は市川さんの見方に賛成ですが、それでも、なるほど、言論の世界が一方だけに偏りすぎては危ない。

そういう意味では私自身は、片方だけにつく単純な議論はしてこなかったつもりです。一方的に文科省だけが悪いとも言ってこなかったし、学力低下によってどういう問題が起きるかについても、比較的慎重な言い方をしてきた。教育というのは複雑な問題だから、一方にだけ流されるような形で問題解決ができるはずがない、ということが前提ですから。

そういう意味で、教育の論じ方が変わってきた。学力低下か否かの風向きが変わっただけでなく、私がやってきたようにデータや数字を使ったり――自分ではリアリストだという言い方をしているんだけれど――論じる時のスタイル自体を変えたいという信念を私自身、最初から持っていた。だから、そういうことが、教育の議論を通じて少しでも浸透したのだとしたら、問題提起をした意味も少しはあったのかなと思います。

ただ、学力低下論争は終わったんだけれど、教育を論じることは終わらないんですよ。教育改革の議論も終わらない。

だから、二〇〇二年に、『朝日新聞』の文化欄で、学力『について』論じるのではなく、学力『から』論じなければいけないと書いたんだけれど（本書第三部10章）、私自身の研究や注目点としては、すでに一年以上前から次のステップに入っているんですよね。

そして、次のステージに移ったことを裏づけたのが、二〇〇二年の文科省の全国学力調査の結果発表でした。この論争を経てしまったら、全国調査に対して『点数だけで評価する学力はけしからん』と批判したところで、今ではそれほどの説得力を持ちえない。もちろん点数にあらわれない力があるというのは誰もが認めているけれども、点数が無意味だということはもう言えなくなってしまった。これはすごく大きな変化ですし、私自身、その変化に驚いています。

論争を考えるということは、次の展望を考えることです。対立の軸のずれだとか、次に何をしなければいけないかということが見えてこないといけないわけですね。ただし、対立の軸をどのようにとらえればいいのかは、それほど自明ではないし、きちんと論じられているわけでもない。だから、『敵と味方』が錯綜する。この問題については、私自身、この論争を総括する気持ちも込めて分析したいと思っています。

この論争は、全国学力調査の結果をふまえて、次なる議論とどうつなげていくかを論じなければいけない、そういう時期に来ています。だから、『もう、学力低下論争は終わった』ということにしなければいけない。『もう学力低下論争ではない』」

——このように考えてくると、確かに「学力低下論争」の意義が見えてきますね。

2　一九九九年　風は「ゆとり教育」のほうに吹いていた

問題提起

――論争は一九九九年に始まりました。しかしそれに先だつ九〇年代前半には学力低下は一部の大学人に意識されていたようです。九四年に日本数学学会内に「大学数学基礎教育ワーキンググループ」をつくり、学力に関する調査を開始しました。そのメンバーだったのが京都大学の西村和雄さんや慶應義塾大学の戸瀬信之さん、埼玉大学の岡部恒治さんで、彼らが九九年六月に出版した『分数ができない大学生』（東洋経済新報社）は、初めて学力低下を実証したとして話題になりました。

ところがすでに『Ｖｏｉｃｅ』（ＰＨＰ研究所）九九年一月号では、受験界を代表する和田秀樹さんが、この調査結果をいち早く取り上げています（「ポスト学歴社会の選択」。『論争・学力崩壊』に転載）。九九年一月には苅谷さんが高校生の学習時間の調査結果に基づいた議論をされています。こうして九九年の早い段階で、学力低下論争の火付け役を担った方々は登場しているわけです。

苅谷さんはあの時点で、どういうふうな見通しをお持ちだったのでしょうか。

「実は、私は九八年の初頭から十二月末まで日本にいなかったんです。だから、日本で何が起きているかをリアルタイムでは知らなかった。アメリカで階層と学習時間の研究をしていた。

もう少しさかのぼると、子どもたちの間で学習離れが起きているということを九五〜九六年頃に気が付いて、論文も書いています。その時点では、自分の調査データではなく、ほかの機関がやった調査をもとにした議論だった。だから、九六年頃に自分たちで調査しなければいけないと思い準備をし、翌年に実際に調査した。ちょうど一九七九年に自分たちが大学院生の頃にやった高校生対象の調査があったから、それとの比較をしようと。勉強時間だけに限らず、学習面での変化や学校への関わりの変化も調べようとしたのです。そのための準備を九六年に始めて、九七年に調査をしたのです。そして、七九年の結果と九七年の結果との比較分析を九八年にアメリカで集中的にやっていた。共同研究だったからほかのメンバーは日本で研究していましたが、私は一人でアメリカにいて分析をしていた。そこで、九九年一月の朝日新聞に書いた内容の結果をすでに出していたのです。この分析結果があったから発言を始めたのであって、データを自分で分析した研究的な裏づけがない限りは、何も言うつもりもありませんでした」

――それはどういった研究をしていたんですか？

「努力の階層差の問題です。『階層化日本と教育危機』（二〇〇一年刊）にもその一部を書きましたが、要するに、能力と努力というものの組み合わせによって、人びとの社会的な業績やパフォーマンスが変わるという研究です。社会の中での人びとの能力の分布というのは、もし能力の違いに生得的な要素が強い影響を及ぼしているとすれば、世代によって大きく変わることはあまり考えられない。それに対して、努力の分布は社会の変化に応じて変わるに違いない。しかも、全体として努力への志向が強まるか、弱まるかといった変化だけではなく、誰の努力志向がどう変化するかという問題も絡んでくる。つまり、社会階層のようなものが影響するだろうと考えられる。そうだとしたら、それによって社会の不平等についても、たんに現状を記述するのではなく、努力と階層との関係に着目して、それらの変化について分析できないか、ということをアメリカで研究していたんです。

アメリカの社会学研究の世界では、アメリカ社会自体が能力信仰の強い社会だけに、個人の能力差に着目した研究が多い。能力主義の社会ゆえに努力という変数への関心が薄い、と言えるのです。だから、アメリカで研究を発表する場合には、努力信仰の強い日本の視点を持ち込めることが自分のオリジナリティだと思ってこのテーマを追究していた。実際にそのデータを使ってアメリカ社会学会などで発表していましたし、英語の論文も発表しています。ところで、アメリカに行く直前の九七年十一月に出た教育課程審議会の中間まとめを見た時に、そこにはすでに今回の指導要領の骨格が出ていた。アメリカに行く前にこれを見た時、『これで大丈夫なのか』という直感があったんです。ただ、その時点では、あまり大きな動きはとらなかった。九八年にアメリカに行くことが決まっていましたし。

ところが、日本での受けとめ方はというと、九七、八年の頃はもちろんのこと、私が帰国した直後の九九年初頭の時点でも、教育改革の方向性や新指導要領については大歓迎の論調が支配的でした。子どもがゆとりを失っている、受験教育や詰め込みばかりの日本の教育を何とかしなければならない、だから今度の教育改革の方向は正しいんだ、と。文部省もやっと本気で教育改革にとり組みはじめた、と。しかし九六年ごろから私の中では、子どもはゆとりをなくしているのではなくて、むしろ勉強離れが進んでいるという感覚を持っていた。それをサポートするデータも知っていた。こういう教育改革の動きに対する私自身の見方と、九八年にアメリカで努力の階層差の研究を、高校生の学習時間に注目して分析していたところとがつながったんです。

たまたま、九八年十一月に新しい学習指導要領が発表された直後、毎日新聞にコメントを依頼されました(本書四二〜四四頁)。まだアメリカにいる時です。日本の新聞などを見ると、文部省がいよいよ本気を出して改革に乗り出してきた、と言ってみんな歓迎している向きが強い。急遽日本にいる大学院生などに新学力観や学力テストのことで、とにかく過去のものと比較できるものをファックスで送ってもらって記事を書きました。歓迎一色だけど、本当に大丈夫なのか。死角はないのか、といったことをです。学習時間だけでは駄目だから、東京理科大学の澤田利夫さんたちがやっていた学力調査なども探して、数学の応用問題などではかえって正答率の低下傾向もあるということも指摘した。

それと前後して、翌九九年一月十一日の朝日新聞の文化欄に、努力の格差の問題を学習時間のことと絡めて、直接データを紹介して書きました（本書四五～四七頁）。

書いたのはアメリカにいる時でしたが、いろいろ新聞社側の都合などもあって掲載されたのは日本に帰った直後の九九年一月になった。あの朝日の記事はけっこう反響があったようです。西村和雄さんもそれを読んだらしく、連絡をいただいた。その時に西村さんたちから大学生のデータを送ってもらったと記憶しています。それ以前には、西村さんたちの活動についてはほとんど知りませんでした。アメリカにいたこともありますし。

だから、学習指導要領がおかしいぞ、という疑念は毎日新聞に書いたときには明確に意識していましたが、その後、学習時間の問題がこういう形で『学力低下論争』につながるという見通しはそれほどはっきり持っていたわけではなかった。ただ、学習離れが進んでいるというトレンドから見れば、教育改革は前提から間違っていると。その点は当初から思っていたし、これが階層差と絡むということもわかっていた。いまでこそ、文科省も学習意欲や学習離れを問題視していますが、あの頃は世の中全体が、まだ日本の子どもは勉強しすぎだ、というステレオタイプにとらわれていたことを思い出してみてください。階層差の視点なんてみじんもないころです。だから、私としては、こういう重要な論点が隠されたまま改革が進むのはまずいと思った。世の中の教育の見方と実態とのズレが大きいと感じた分だけ、何か発言しなくてはだめだぞという意識を強く持つにいたったわけです。

西村さんたちのデータを見せてもらった時は、正直、驚きましたね。印象論ではなく、数字で表れた結果だったし、相当簡単な算数の問題なのに正答率が低いことにびっくりした。ただ、あれは変化ではなく、一時点のデータだったから、いったいこれは変化としてはどうなのだろうか、と疑問は持った。その点が、学習時間の変化をとらえた私の分析によって補えるのでは、ということにもつながった。

しかも、あの時点では、大学生の学力低下に問題が集中していた。初等中等教育は関係ないのではないかと。要するに少子化の中で大学に入りやすくなったから、これまでなら大学に入らないような学生が入ってきたためではないかとか、最初はもっぱらそういう議論でしたよね。初等、中等教育と直接結びつけた議論にはなかなかならなくて、西村さんたちは指導要領の削減というところとつなげて未来予測的な議論をしていたけれど、データ的にはつながっていなかった。その時に私の学習時間のデータというのは、西村さんたちにとっても非常に重要だと思われたのではないですか。そういう流れですね」

悪役レスラーという役割

——九九年にはそういう形で、苅谷さん、西村和雄さんたちの日本数学学会、和田秀樹さんといった方たちが、夏くらいまでに本を出版したり、論壇誌などにずいぶん出てくるようになりました。その辺でちょうど苅谷さんと文部省政策課長（当時）の寺脇研さんの対談がありました。七月に朝日新聞に一部掲載され、その後『論座』十月号に詳しい内容が掲載されました（『論争・学力崩壊』に転載）。本当にインパクトのあるものでした。あれ以来、論争が一気に盛り上がったと感じます。

「あれは、私から寺脇さんと対談したいと言ったわけではないんですよ。新聞社の方がセットしたんです。それを説明するために、少しその前段をお話しします。例の『鎌倉幕府』で叩かれた話です。

九九年の初めには新聞記者の取材をよく受ける機会があった。ただ、まだ学力低下に焦点づけられた取材ではなかった。たとえば、読売新聞で、二十一世紀を目前に控え、各界の百人から話を聞くという企画があった（本書四八〜五一頁）。その時、教育についての取材ということで私のところに来た。まだ、学力問題が騒がれるずっと以前の段階です。その時、西村さんたちの大学生の数学の結果を紹介した。そして、教育改革の死角や盲点といったことが、将来の日本社会にどういう影響を及ぼすのかという話をした。階層化の話も織り交ぜてです。記者の方は驚いて、そのことを中心に記事にしようとなったのだけれど、その時、記者の方から『理科系の話はわかるけれども、文科系の話はありませんか』と聞かれて、それについてはデータは持っていないけれど、授業中に学生に簡単なアンケートを何年かやっている中で、『鎌倉幕府の成立と滅亡した年を覚えているかどうか』という質問をしていたことを説明したのです。教育学部の学生に限らない、文科系の二年生が集まっている大教室の授業でした。そのとき、高校時代に日本史をとっていない学生もいて、小学生でさえ知っているような知識を知らないという東大生が三分の一くらいいた、というエピソードを紹介したのです。それを記者の方が、理科系で言えば分数ができないことに相当するのではないかと、受け取って記事にした。

その頃、鎌倉幕府の成立と滅亡の年を知っているかどうかで学力を診断するなんていったら、批判の矢面に立たされるのは火を見るより明らかですよ。つまり、そんなくだらない知識の断片的なことを言うのかって言われることはわかり切っていた。

叩かれるだろうことはわかっていた。私の配偶者もゲラ刷りを見て『この鎌倉幕府の部分は削ったほうがいい』と言いましたもの。『これが記事になったら、あなた叩かれるわよ』と。

一方、記者は多少表現を和らげてもいいから、ここは絶対に削りたくないと言うわけです。やはり理科系の話だけに終わらせたくないと思ったのでしょう。具体的だし、わかりやすい話じゃないですか。それで、仕方ないということで、掲載をOKしたら、予想通り、えらく叩かれました。その後もさんざん叩かれるネタに使われました。

つまり、断片的な知識の詰め込みを批判することが教育改革の正当性の大前提だったところに、『学力低下』だと言い出した一人が例として持ち出したのが、知識の断片だったというふうに見られたわけでしょう」

――その後そういう批判がありましたね。

「雑誌や新聞などでも何度も批判を受けましたよ。ただ、そういうとらえ方をされることを知っていたのに、最終的に『鎌倉幕府』を削らなくてもいいと決断したのは、『基本的な知識ぬきに思考力は育たない』と思っていたからです。その時点では、知識を伝達することさえ、『詰め込み』と短絡する議論が横行していましたから。知識の伝達からいかに脱却するかということばかりに、教育改革の振り子が振れすぎていた。そういう批判もあったから、あえて知識の問題を土俵に乗せるという意味合いもあった。私が、知識か思考力かといった単純な議論の上に教育改革の問題点を衝いているわけではないということは、たとえば、九六年に出した『知的複眼思考法』（講談社）や九八年に出した『学校って何だろう』（講談社）といった私の本を読んでもらえれば、わかる人にはわかるはずだという見込みもあった。大学教師としてはまさに『自ら学び、自ら考える』教育を実践してきたという自負もありましたから。

それまでの学力論争のように知識か思考力かという二分法の議論に陥ることは避けたかった。それほど複雑なことを覚えるわけではないのだし、それこそ語呂合わせでも記憶できるような年号をわざと例に挙げたのも、それくらいの知識の伝達でさえ詰め込みとしかとらえられない議論の偏狭さへの異議申し立てでもあった。十四世紀前半に幕府が滅びたくらいのことは小学校でやるのだから、それくらいのことを（文科系の東大生ならなおさらのこと）知っていても何のじゃまにもならないし、それが一三三二年か三年か四年かという間違いに目くじら立てる必要はないだろうけれど、少なくとも十四世紀の前半だということを知っていなければ、モンゴル帝国の膨張といった世界史とのつながりだってわからない。歴史のつながりを後世の人間の特権として考えるためには、ある程度の年号の知識も必要です。年号だけでなく、最低限、重要な歴史的事件については、何がどういう順番で起きたのかを知っておくことも、じゃまになる知識ではない。それなしに、歴史的事件を材料に、社会の変化について考えようにも考えられない。そう考えると知識は思考力の基礎になりますよね。最後はそうやってちゃんと話せばわかってもらえるだろう、という確信がどこかにあった。それにあまりに短絡的な知識批判にも何か言いたかった。だから、最後は『鎌倉幕府』を使われてもいいやと思ったわけです。

しかし、予想以上の批判でしたね。書かれたものだけでなく、聞こえてくる批判・非難もすごかった。正直、もう問題提起をするのをやめようと思ったこともあります」

――その時、苅谷さんを突き動かしていたのは何だったのでしょうか。

「私にとってこの論争は個人的には何の得にもならない。つまり、市川伸一さんの本での整理にしたがえば個人としては『利害関係者』ではない。理科系の人たちは特に数学理科の学力についての危機感とか、経済学の人たちは経済学を教えるうえでの数学力についての危機感であるとか、そういう意識が指導要領批判に向かったという見方もあるようです。一方、私の場合はいつやめたって、損もしなければ得もしない。むしろ最初のうちは損ばかり。叩かれるほうが多かった。あえて矢面に立たずに、自分の研究だけをしていたって別に不都合はなかった。

ただ、『大衆教育社会のゆくえ』（中公新書、一九九五年）を書いた時、戦後の日本の教育の論じ方が不平等問題を隠蔽してきたことを明らかにしました。そういう問題意識を持って、その後の自分の研究を通じて日本の教育と社会の不平等拡大のトレンドを見ていましたから、もう一度、不平等問題が隠蔽されてはならないと思ったのです。しかも、経済や財政、少子高齢化の動向、さらには個人の結果責任を強調するネオ・リベラリズムの隆盛といった動き、これらを見ていて、教育の世界でこれから広がる不平等の問題は無視できない。九五年にあの本を書いた時よりも重要性が高まっていると見ていた。だから、学力低下の問題が、たんなる全体の学力水準の問題や、日本の技術力、経済力に影響するといった論点だけではなくて、社会の階層化と絡んだ問題であるという指摘は、あの時点では自分にしかできないと思っていた。だから、『学力をどう定義するのか』とか、『おまえの言っているのは単なる知識じゃないか』とか、『教え方はどうするんだ』という、いわゆる教育学の論争には引きずり込まれないようにした。あるいは理数系の大学の先生方の問題提起だと、『それなら理科や数学の学力だけを高めればいいのか』という反論も教育学者の間からは出ていたけれども、その点も自分のフィールドだとは思えない。そこからも距離を取りながら、自分にしか言えないことを発言していこうと。教育の世界に限定された問題の陰で、見えにくい、もっと大きな日本社会の構造的な変化が起きていて、それが教育の問題を巻き込んでいる。しかも、それに対する政策や、それに関わる行政だとか、世論だとかは、こうした変化に目を向けて教育改革の影響や学力の問題を論じていたわけではなかった。教育の専門家や現場の人たちも同様だと思った。こういう社会の編成自体が構造的に大きく変わる中で、一本筋を通して発言をしなかったら、本当に日本はどうなってしまうんだという危機意識を明確にもっていたと思います。それが、最初は猛烈な逆風の中でも何とか発言を続けなければという気持ちにつながった。

マスコミも機能しないし、教育研究の専門家も機能しない中で、言わば旧来型の教育言説の枠内でこの論争が続いていったら、社会と教育の構造的な変化に目をつぶったまま、おそらくは未だに私たちは教育改革をよい方向をめざした好ましい政策だと思っていたかもしれない。階層化や教育における不平等の拡大が教育改革と関係しているという見方なしに改革が進んでいけば、それが将来の日本社会に及ぼす影響は計り知れないと思った。ともかく自分が問題提起をしなければいけないと覚悟したのです。

ところが、あの頃までは、ジャーナリズムも教育の専門家も、教育を論じる時の論じ方は、戦後『進歩主義教育』の枠組みを越えていない。進歩派の教育研究者は、『ゆとり』と『生きる力』の教育を、長年の自分たちの主張をやっと文科省が取り上げてくれた成果だという見方さえしていた。社会的弱者を守ると言っていたグループさえ、階層化と結びつけて教育改革を論じるわけではない。行政は当然、階層化の問題には目を向けないから、誰も問題点を指摘しないまま。これでは、かつて進歩派がめざしていた『市民社会』も成立しないじゃないですか。そこで、まずはジャーナリストがわかってくれない限り、自分がデータを示して何かを言っても、結局は人びとの教育の論じ方は変わらないと思ったんです。だから、学界よりジャーナリズムに向かって発言する機会を増やしていった。

その後、学力低下の問題が社会から関心を持たれるにしたがって、さまざまなジャーナリストの方々に説明をする機会がありました。たいていは、学力は低下しているのかどうか、といった関心で取材にきた。それでも、その時持っていたデータをすべて動員して、みなさんが考えていた教育の問題点や現状の把握と、実態とがいかに異なっているか、問題をとらえる視点を変えない限り、いま起きている深層部の変化の意味はわからないですよ、と相当時間をかけて説明させてもらいました。一言コメントを取りに来た記者さんたちには迷惑だったかもしれないけれど、ともかく、問題を構造的に理解してもらおうと努めた。そのために使った時間は相当なものですよ。どんなに短い取材の依頼でも、最低でも一時間以上費やした。というのも、最近の大学生はこんなことも知らない、こんなこともできないといった報道で終わっては、この問題はたんなる興味本位のブームにすぎなくなる。この問題を見過ごすか見過ごさないかということが、これから先、教育を論じるジャーナリズムにとっても分かれ目になるということをわかってほしかったからです。『本当に今までのように一面的な受験教育批判一辺倒でいいのですが、それ一本槍でいったら理想の教育を唱えることはできるかもしれないし、そこから現実の批判はできるかもしれない。けれど、理想の教育の陰で、今までとは違う問題が起きてきますよ。でも、こういう事実は、一切ジャーナリズムでは取り上げられないじゃないですか』と、データを示しながら、これまでの教育の見方では見えない問題を何とかわかってもらおうとした。

子どもを弱者にして、かわいそうな子どもたち、抑圧する学校・教師たちという構造、あるいは受験の圧力という非常にわかりやすいストーリーから脱しなければ見えてこない実態がある。すでにその時点では政策の側は『個性尊重』と言いながら、実は自己責任と市場化へ向かうようなネオ・リベラリズム的な政策に軸足を移している。それに対し、旧来の進歩的な教育学からの批判はあまりに不十分。とくに、学力問題が絡むと、『生きる力』的な教育へのシンパシーがあるものだから、対立軸を明確に描ききれない。こういう教育学的な発想をもっと薄めたような視点からでしか、進歩派と言われたマスコミ陣も問題をとらえることができなかった。旧来の対立軸では見えない事態が生じているのに、未だに古い構図でやろうとしている。私にはそう見えた。だから、なんとか、このずれだけはわかってもらうしかないと思って、データを示しながら説明していたんですけれどね」

——先ほどの質問に戻りますが、苅谷さんと寺脇さんの対談から明らかになったことは多いですね。「学習指導要領はミニマム」「小中学校ではスロースタート。高校、大学ではペースをあげる」「学力分業論」などです。この時の苅谷さんが「政策の根拠」を執拗に追及したのが印象的です。そのために文部省の政策に十分な根拠がないことが明らかになりました。「そうそう。こういうジャーナリストの方々への説明の流れの中で、寺脇さんとの対談もセットされたのです。たぶん、私が訴えようとしていた論点を、そのまま記事にするより、直接改革の担当者にぶつけてみたほうが問題点がはっきりするだろうと考えたのでしょうね。その時、私は、寺脇さんから徹底的に聞き出そうと思ったんです。あの時点では、私の役回りは、ネガティブなレッテルを張られた『東大教授』ですよ。『また受験競争に戻すのか』といった批判をたびたび受けていた頃ですから。その頃冗談半分で周りの大学院生や若い研究者たちに『悪役レスラーが一人くらいいないとしょうがないからな』と言っていたぐらいですよ。東大教授の肩書きをもった人が学力低下論を言い出すというのは、どう見ても権威主義に見える。しかも、『鎌倉幕府』で相当叩かれていた。知識の断片をとらえて、こんなの知ってるか、知らないか、そういう視点から学力低下だと言っていると思われていたわけですから。

それでも、さっき言ったようなデータを自分で持っていたのと、自分の立場でこういう発言をしなければ、本当に昔の教育の論じ方の構図を繰り返すだけになるから、と思って言い出したのです。寺脇さんとの対談の時点では、私が何を言ったって、それほどの影響力があるとは思えない。だから、どうやって寺脇さんの考えていること、あるいは寺脇さん本人というよりも、寺脇さん的な発言に共感する人、言わば、その時代の追い風となっている教育言説を背負っている人から、その言説の本質を、いかに取り出してみせるか。見る人が見れば透けて見えるような構図をあぶり出せれば、ということで対談に臨んだ。ある意味では、インタビュアーに徹した」

――それはよくわかります。

「少なくともその時点では、教育の論じ方の構造をそういう形で明らかにできれば、そこから何か変だぞと気づく人が出てくる可能性がある。これまでの教育の論じ方では通用しない対立の構図を引き出せればいい、と考えていたのです。

とにかく彼に何を言ってもらうか。直接発言していること自体が意味を持つことと、言わないことの背後に何があって、寺脇さん的な人の頭の中でどういう論理の構造があるのか、それが、教育の論じ方としてどういう特徴を持つのか。そういうことを示したい、それがその時のねらいでした。

結果的に寺脇さんという人が、直接的に、非常に率直にご自分の意見を言ってくださった。そのことによって、論点がだいぶすっきりできた。あの時点では圧倒的に寺脇さん的な考え方の方向に風が吹いていたわけだから、私のような反論をぶつけられたとしても、『いや大丈夫ですよ。文部省は本気で改革しようと思っているんですよ。国民のみなさんついてきてください』という、まさに教育改革のスポークスマンとしての役割を彼は果たそうと思っていらしたのでしょう。あの時点では九対一くらいの割合で向こうのほうが優勢でしたから。私としては、その形勢を逆転したいというより、あの時点で九の力を持っていた教育の論じ方にどういう問題や限界があるのかを、対談を通して明らかにしたい、と思っていました」

政治運動と研究者

――私はこの対決が、今回の論争全体のいちばんの山場だと思っています。苅谷さんが持っている問題意識には非常に共感しました。教育というのは善玉、悪玉という対立図式がもうでき上がっていて、すべての議論はその枠の中でしか動かない。そうした中にあって、苅谷さんは、最初から、その枠組み自体を壊すという明確な方針をお持ちで、しかもどうやって壊すかというところまでお考えになっていたと思っています。

話を進めますが、九九年の九月には財団法人・地球産業文化研究所の「グローバル市場競争時代における教育・人材育成のあり方」研究委員会ができて、西村さんが委員長を務め、岡部さんも戸瀬さんも苅谷さんも委員として参加しています。この委員会の背後には通商産業省（当時）が控えており、その後の運動の一つの中心になりました。同委員会の報告を基にした緊急提言書も地球産業文化研究所「地球産業文化委員会」から発表されました（『論争・学力崩壊2003』に転載）。

文部省に対して通商産業省は前から不信感を持っていたわけで、西村さんたちはそこと手を結ぶような形で、ゆとり教育を潰すというような形の運動を展開します。

苅谷さんがそこに委員として参加された経緯はどうだったのでしょうか。

「委員を頼まれた時には、こういう研究会があるからそこで情報提供してくださいと。いろいろな人を呼んで話を聞くから、そこでまた議論に加わってくださいということでした。私自身は、委員を引き受けたことは、政治的に意図した行動ではまったくありませんでした。ともかく、自分の研究について話をする場、と位置づけた。西村さんも、あの時点で今おっしゃったようなことまで考えていたかどうか疑問です。少なくとも私との間では、あの時点では、そういう話はしていない。

だから、その後、ああいう報告書を出して、しかも通商産業省のOBなどの名前を連ねて、文科省批判の姿勢をはっきり出すとは、その時点では予想していなかった」

——苅谷さんはどういうスタンスで関わっていたんですか。この委員会メンバーの西村さん、戸瀬信之さん、オブザーバーの浪川幸彦さん、上野健爾さんに加えて和田秀樹さんが参加した五人が代表幹事となって、二〇〇〇年三月には「二〇〇二年度からの新指導要領の中止を求める国民会議」が結成され、「教育二〇〇二年問題を防ぐ署名運動」を展開しました。「私は西村さんたちがこの研究会とは別個に進めていた、学習指導要領に反対する署名運動に名前を連ねていないんですよ。私としては、運動としてより、研究者としてこの問題に関わっていましたから。」一方、研究会には研究者として加わることができる。運動体ではないと理解していましたし。私の研究成果を発表してくださいと頼まれ、発表しに行った。ある程度、ほかの方からの情報も得られるというので、何回か聞きに行きましたが、ほかの方と比べると出席率は低かった。自分としては調査研究を通じてこの問題に取り組もうとしていましたので、忙しかったこともありましたが、あまり一体化しないほうがいいという判断も正直言ってありました。あの時点では、意見が違うというより、立場の違いと言ったほうがいいかもしれない。

つまり、ある程度距離を保ったほうがいいという判断が働いたんですね。ただ、まだあの時点ではそれこそ『一対九』でした。その中で、ひとつのグループとしてまとまりを持とうとしたことに対しては、まったく無関係でいいとも思わなかった。だから、ともかく参加を了承しました。

報告書を出す時には、参加した以上、名前を連ねる責任があるから、名前は入っています。

私の報告も入っている。今でもそうですけれど、何らかの集団なり団体と関係して政治的に動こうという気は最初からまったくありませんでしたから、ある意味では、いつでもやめられると自分では思っていたし、いろいろな団体から一定の距離を置くことで、教育社会学者としての発言の意義も確保できる、そういう意味で、現実の日本の教育と社会を対象に研究している社会科学者としての自分の役割は何かということに徹してきたつもりです。今でも、できる限りいろいろなところと距離をとっています。

自分が客観的だとか、中立だとは言わないけれど、研究者の立場を貫くことによって、多分、信頼性も得られるだろう、という予測があった。自分の立場から自分のデータに基づいて発言できる、そういう強みを保持したいと思ったのです。自分としては一貫してこの態度を貫いてきたつもりですよ」

プレイバック　論争の問題提起①

新学習指導要領案公表　学力格差拡大の恐れ

（『毎日新聞』一九九八年十一月十九日朝刊）

今では画一教育と批判されるようになったが、従来の日本の教育は、他の先進国がうらやむほど、平均レベルの高い、散らばりの小さい基礎学力を培ってきた。今度の改訂は、それを犠牲にしても、「ゆとり」を増やそうとしている。しかし、そこに死角はないのか。

まず「子どもにゆとりを」という前提を疑う必要がある。いくつかの調査によれば、塾などでの学習を含めても、中学生、高校生の学校外での学習時間は、過去二〇年間で減る傾向にある。しかも、依然としてよく勉強する生徒がいる一方で、ほとんど勉強しない者が増えている。学校外での学習時間の差が広がっているのだ。全体のゆとりを増やす今度の改訂は、すでにあまり勉強しなくなった子どもにとって救いとなるのか、それとも勉強嫌いのさらなる免罪符となるのか。

ここから見えてくるのは、教育における格差拡大の問題である。

今度の指導要領改訂がうたう「自ら学び、自ら考える力」の育成は、実践場面では、従来の知識伝達型の教育ほど簡単ではない。教師の力量の問われる難問である。しかも、この困難な課題を全体の授業時間数を減らす中で行おうというのだ。知識伝達中心の画一教育は、学校間、教師間の違いを極力おさえてきた。それに対し、どの教師や学校にも同じ力量があるという理想論を信じ続けない限り、今度の改訂が、学校間・教師間の教育力の差を拡大することは避けられまい。それも「学校の個性化」と文部省は呼ぶのだろうか。

公立学校のさらなる地位の低下も進むだろう。今回の改訂は、一見、勉強の不得意な子どもに救いの手を差し伸べているように見えるが、得意な子はどうなるのか。公立学校での学習にあきたりない子どもは、これまで以上に塾や私立学校に頼るようになるだろう。

その結果、親の意識や所得などによる教育の階層差が、これまで以上に拡大する可能性がある。

もうひとつの懸念は、学力低下である。数学の学力を長年国際比較してきた研究によれば、日本の中学生の学力は、今ではシンガポールや韓国を下回る。また、思考力を試す文章題では、過去の日本の生徒と比べても低下傾向にある。しかも、文章題の正答率の低下は、「考える力」の育成をめざした現行の指導要領で教育を受けた生徒に起きている。これらの事実をふまえると、現行の指導要領とほぼ同じ路線に立ち、さらに授業時間の削減を図る今回の改訂が、基礎学力の低下をもたらさずに、「考える力」を伸ばす保証はどこにもない。

高校までに養成される学力が低下すれば、基礎学力の形成という課題が大学に先送りされる。改革が進んでいるとはいえ、これまで教育力が乏しいと言われてきた日本の大学にとって、その荷は重い。

それでも、五日制導入は既定の事実として揺るぎない。以上の潜在する問題群に見合うだけの価値あるゆとりを生み出せるのか。「はじめに五日制ありき」の教育改革の全体が問われている。

プレイバック　論争の問題提起②

階層間で二極分化の傾向　教育の不平等拡大のおそれ

（『朝日新聞』一九九九年一月十一日夕刊）

「過度の受験競争が教育をゆがめている」。このような現状認識は、現代日本の「常識」の一部となっている。偏差値追放にしても個性重視の教育にしても、受験プレッシャーをどれだけ弱めるかが、文部省の進める教育改革の長年のテーマであった。だが、受験プレッシャーは実際どのように変化してきたのか。

この問題にアプローチしようと、二つの県の十一校の高校二年生を対象に、一九九七年に調査を行った。同じ高校を対象に七九年にも調査をしており、両者を比較することで、十八年間を隔てた高校生の変化をとらえることができる。以下は共同研究「高校生文化と進路形成の変容」（研究代表・樋田大二郎氏）の成果の一部で、調査対象者は両年度とも千三百七十五人にそろえてある。

受験プレッシャーを直接観察することは容易ではない。しかし、高校生の学校外での学習時間（塾・予備校での勉強を含む）という、単純だが変化のとらえやすい指標に着目することで、その一端を知ることはできる。受験プレッシャーが強まれば、生徒は勉強へと駆り立てられ、学校外での学習時間が増す。逆に弱まれば学習時間も減るだろう。その変化から、生徒を勉強へと追い立てる圧力を測れると考えたのである。

まず全体の変化を見ると、七九年には一日平均九十七分だった勉強時間が、九七年には七十二分へと減っている。勉強時間から見る限り、一般の印象とは逆に、受験プレッシャーは弱まっている。詳しく見ると、三時間以上勉強した生徒は、一七％から八％へと半減した。なるほど毎日三時間以上という勉強時間が、過剰な受験圧力を示すとすれば、過度の圧力を受ける生徒は減少した。その意味で教育改革は成果をあげているように見える。

ところが変化はそれにとどまらない。一〜三時間という生徒も四〇％から三五％へと減少し、かわって全然勉強しない生徒が二二％から三五％へと増大した。つまり全体の受験プレッシャーが弱まる中で、一、二時間程度の「適度な」勉強をしていた生徒も減り、普段まったく勉強しない生徒が増えたのである。

若年人口の減少に伴い、大学は格段に入りやすくなっている。その傾向を反映するように、進学希望者の勉強時間も減っている。たとえば国公立大学希望者では、七九年の百四十二分から九七年の百七分へと減少した。勉強量が学力に反映するとすれば、この変化は、大学入学者の学力低下の可能性を示している。

しかも、問題はこうした変化がどの高校生にも同様に生じているわけではない点にある。勉強時間の減り方は、親の職業や学歴といった家庭的背景と関係しているのである。

数字は省略するが、親が高学歴であるほど、勉強時間が長く、しかも十八年間での変化も小さい。また、父親が専門・管理職である場合と他の職業の場合とを比べると、専門・管理職の子どもほど勉強時間が長く、その減り方も小さい。つまり、どのような家庭に育つかによって、学習時間の差が広がりつつあるという結果が得られたのである。

どれだけ勉強するかが個人の努力を示すとすれば、以上の結果は、そうした努力にも家庭環境の違い（階層差）が反映していることを意味する。育つ環境によって個人の知的能力が違うことは研究者によって指摘されてきたが、どれだけ勉強するか（させるか）という努力さえもが家庭環境によって異なり、しかもその差の拡大が示されたのである。努力の差の拡大が学力差と結びつくとすれば、だれをも競争に駆り立てて勉強に向かわせていた受験プレッシャーが弱まったことで、階層間の学力差も拡大している可能性がある。

こうした変化が教育改革と関係しているとすれば、なんとも皮肉な結果である。個性重視と受験競争の緩和をめざした改革は、思わぬところで教育における不平等を拡大しているかもしれないからだ。

画一化を嫌い、個人の選択を尊重することは、どの集団にとっても同じ結果をもたらすわけではない。異論の唱えにくい「個性重視」の名のもとで、教育の階層差が拡大する。その結果は、社会の不平等の拡大につながるかもしれない。勉強時間という単純な指標から、その兆しが見えてくる。平等を犠牲にすることをどれだけ覚悟のうえで改革を進めるのか。日本社会の曲がり角は、教育の世界だけにとどまらないのかもしれない。

プレイバック　論争の問題提起③

［21世紀への視座］苅谷剛彦さんと考える「教育システム」

（『読売新聞』一九九九年四月二日夕刊）

――学力低下の問題は、受験に対する漠とした不安にとどまらず、大学での補習授業の実施など、実際に教育の現場に影響が出始めているようです。

「東大文系の二年生の授業で、鎌倉幕府の成立と滅亡の年を尋ねたところ、以前ならほとんどが答えられたのに、最近はどちらかを知らない学生が三分の一いました。小学校程度の歴史の知識ももっていないのです。日本史を受験しないと高校でも日本史を履習しないのでしょう。また、ある私大経済学部の学生の五人に一人の割合で小学校の算数の加減乗除の計算が解けなかったという調査結果の報告もあります。学生の学力の低下は明らかでしょう」

「学校五日制の実施や学習内容の軽減で、受験競争とは正反対のイメージの『学習離れ』とも呼べる現象が起きています。家庭での学習だけでなく、学校での学習時間も減るわけですから、当然の結果と言えるでしょう。今後は平均の学力がさらに低下する一方で、学力の散らばりが広がる可能性さえあります」

――学力の低下は、学校現場でのデメリットのほかに、社会にどのようなひずみを生じさせるのでしょうか。

「例えば、一九八〇年代の米国は、そのひずみが顕著でした。六〇年代に、今の日本の個性尊重主義に似た、児童中心主義の教育が推進されましたが、八〇年代に入り大きな揺り戻しが起きた。当時は米経済が低迷した時期にあたり、さまざまな問題が噴出したのですが、それらが学力の低下と結び付けられ、『基礎に戻れ』というスローガンが叫ばれました。要は、ビジネスでも環境や倫理の問題でも、人間の判断力には基本的な学力が必要だ、ということだと思います」

「わが国のように多くの子供が長期間にわたって教育を受ける社会を、私は『大衆教育社会』と呼んでいます。そのような社会に内在する学力こそが、技術力を始めとして、日本が地球規模で貢献することを可能にしてきました。だからこそ、日本の産業社会にとどまらない、世界に対するアカウンタビリティ（説明責任）が問われてくるのです。また、健全な市民社会を維持していくためにも個人の判断力が重要です。その時、歴史にしても社会の仕組みにしても、必要な知識の有無が判断を大きく左右することになるのです」

――しかし、現在の教育改革の方向性を決定づけたのは、知育偏重、詰め込み教育の是正だったはずですが。

「たしかにそうですが、受験教育批判や差別・選別教育の否定が、勉強することの価値を過度に貶めたと言えないでしょうか。現在の教育問題はもっぱら、いじめ、不登校、学級崩壊など、学校で一人ひとりの子供が抱えている問題を解決することに焦点が当てられています。もちろん、それらは重要な問題なのですが、残念ながら、子供たちが二、三十年後、大人になった時にどういう社会をつくるのかといった視点がスッポリ抜け落ちています。教育は未来社会を建設する重要な営みであるはずなのに、現在の問題に特化しすぎているのです。問題解決型の発想だけでは、新しいビジョンは容易に生まれてきません」

「たとえば、学級崩壊を学力の側面からとらえ直せば、集団的に学力をつける機会が失われているということになります。その事態は、子供の生活にとって緊急に解決されるべきであると同時に、学力が空白になる〝学力崩壊〟と考えなければならないと思います。学力形成の機会が奪われているのですから」

——高等教育では大学改革と入試改革が同時並行で進められていますが、これについても〝小手先〟との批判がありますが。

「やはり、入試をどうするかという論理と、入学してからどのように教育するかという論理がかけ離れ、両方の改革が連携なく進められています。もちろん、入学試験が容易になる背景には、学生、受験者数を確保しなければならない私学の事情などがあるわけですが、どのような能力を持った学生が入学してくるのかという最も基本的な情報と、彼らに何を学ばせるかということは、本来切り離して考えることはできないはずです」

——新たな教育システムを確立するには、常にマクロとミクロの視点を両立させることが不可欠ということでしょうか。

「局所的な課題を、教育一般に当てはまる問題としてとらえると、事態が複雑化しがちです。偏差値を学校から追放した結果、何が起きたか。受験指導を行う主体が学校から塾に変わっただけで、子供たちには何の変化もない。問題の所在が行政の責任の及ばないところに移っただけです。不登校の問題を考えても、子供が行きやすい学校について考えるのは間違っていないと思いますが、だれもが自由に学校を選べるということとは別の議論がなされるべきです」

「だから、ある特定の学校、教師、子供にだけ関係する問題なのか、それとも、日本全国の教育現場で発生している問題なのか、明確に識別することが必要になってきます」

——学力問題については、どのように課題を解決すべきでしょうか。

「まず、学力に関する基本的なデータを収集し、それを基にして正確な現状把握をすることが肝要です。そのうえで、小中学校から大学、大学院までを視野に入れたトータルな教育システムの構築をめざすべきです。そうしないと、高校教育までのツケは大学にまわされ、大学のツケは社会にまわされる。ひいては、地球社会がツケを払わされることになりかねないのです」

教育界の動き　1998年まで

94年に日本数学学会内に「大学数学基礎教育ワーキンググループ」がつくられ、大学生の学力に関する調査を開始。98年には私大文系、99年には国公立文系をふくめた調査。98年には一部の調査結果を公表。そのメンバーだった西村和雄（京大）、戸瀬信之（慶應大）、岡部恒治（埼玉大）が99年6月に出版した『分数ができない大学生』（東洋経済新報社）は、初めて学力低下を実証したとして話題になる。

98年12月　『Voice』99年1月号で、和田秀樹がこの調査結果をいち早く取り上げる。

教育界の動き　1999年

1月　苅谷が朝日新聞に高校生の学習時間が減少しているという事実を報告し、「過度の受験競争がわが国の教育をゆがめている」という「常識」への疑問を示す。

3月　応用物理学会、日本応用数理学会、日本化学会、日本化学会化学教育協議会、日本数学会、日本数学教育学会、日本物理学会、日本物理教育学会の諸学会

	が文部省内で記者会見を開き、新指導要領批判の声明を発表。
4月	市川伸一、和田秀樹共著『学力危機』（河出書房新社）出版。
6月	『分数ができない大学生』（東洋経済新報社）出版。
7月	苅谷と文部省政策課長の寺脇研の対談が7月に朝日新聞に一部掲載され、その後『論座』10月号に詳しい内容が掲載。 苅谷「学力の危機と教育改革——大衆教育社会の中のエリート」発表（『中央公論』8月号。後に『論争・学力崩壊』に転載）。
8月	和田秀樹『学力崩壊』（PHP研究所）出版。
9月	和田秀樹・西村和雄・戸瀬信之の座談会『算数軽視が学力を崩壊させる』（講談社）出版。 財団法人・地球産業文化研究所に「グローバル市場競争時代における教育・人材育成のあり方」研究委員会設置。委員は西村和雄（委員長）、戸瀬信之、岡部恒治の他にも苅谷、「アドバイザー」には上野健爾（京大理学研究科）、浪川幸彦（名古屋大学多元数理科学研究科）などの名前が並ぶ。２０００年５月に第一次報告書、２００１年6月に第二次報告書を出す。

3　二〇〇〇年　攻める「学力低下」論者、守る文部省

メディアが対立軸を変え始めた

――二〇〇〇年になってくると、九対一だった力関係が逆転していって、文部省や「ゆとり」教育の旗色が急に悪くなっていきました。いろいろな人が、右も左もこの論争の中に入ってきて、とにかく全部が文部省を叩きだしました。初めは大学の教養教育や入試制度の問題も視野にはあったはずなのに、それらはどこかにいってしまい、「文部省」対「学力低下論者たち」という単純な図式に収斂し、「ゆとり」教育の是非だけが問題にされたのです。あれは、苅谷さんとしても、問題だと思っていたのではないかと思っているんですよ。

「私自身は、文科省にも責任はあると思っていた。政策の問題点をいっさい認めない態度を貫いていましたから。ただ、教育改革の理念も何もかもが間違いだとは思っていなかった。『ゆとり』教育にしても、三割教える内容を減らしたことがそれだけで問題になるわけではない。教育がそれほど単純な問題ではないことは、わかっている。それに、『自ら学び、自

ら考える』力をつけることも、教科の知識をしっかり理解できるようにすることも、両方大事なことは当然のことです。ただ、もしも、その両方が重要だというのなら、それを実現するための具体的な議論をしていくしかない。その点で、教育内容の削減や学校五日制という時間や知識の資源の制約という問題が表れてくるわけです。それと、こういう『教育論議』だけだと、先ほど言った階層化のような問題には目が向かなくなる。『ゆとり』教育を批判する側の言い分にも、あまりに単純化しすぎた主張が目立つようになって、それもリアルじゃないわけですよ。それともうひとつは、結局文科省を悪玉にしてバッシングすれば解決するという単純な問題ではない。解決の糸口をどこに求めるのかということも同時に研究していかなければならないという視点は一九九九年の後半になると強く持っていた」

——あの時点で、せっかくリアルな議論を志向していた論争が、また従来の平板な対立図式に陥ったと思いました。『中央公論』二〇〇〇年八月号の特集「学力低下——校長たちの言い分」（一部を『論争・学力崩壊』に転載）では、すでに問題の核心は文部省にはなく、地方の教育委員会であるという予測をベースに、文部省の政策のナカミよりも、それが実際にどうやって地方教育委員会に、さらに学校現場に降りてくるのかということがいちばん重要だと考えて、そこで地方教育委員会や各県の高校の校長や教員、私学関係者への大規模なアンケート調査を実施しました。これは文部省には私学や大学への権限がないことをリアルに見据え、地方教育委員会の中央指向や「お上」意識こそを問題にすべきだと考えてのものです。

「実は私も、そのことを意識し、そういう研究をしていたわけです。次にそこに進まない限りは、ただの批判、ただの問題提起で終わってしまうではないか、と思っていましたから。

そこで次にやったことは、中央で行われた教育改革が教育現場にどう降りてくるのか、『論座』二〇〇二年一月号に書いた『現地リポート　県教委は〔生きる力〕をこう読み替えた』がそのひとつです。X県の調査です。なぜそれをやらなければいけなかったかというと、やはり、〝上〟が言ったことに忠実に〝下〟が従うのか、教育改革の実態を見ようとすれば、中央と地方の関係を見ざるを得ない。ところが、両者の関係はそれほど単純ではない。間にいろいろな介在するものがあって、その中で誤解も生ずれば、行き過ぎも生まれる。そういう屈折を経ることによって、教育改革は、思ってもいなかった問題を起こしたり、政策の意図からはずれていったり、あるいは、形骸化したりしていきます。行き過ぎも、足りな過ぎも起きる。

そこにメスを入れないことには、議論はまた地に足をつけない空中戦に戻ってしまう。しかも、文科省の言うとおりでなくても、うまく改革を進めている地域もある。そういうケースから何かを学べるわけだから、それを取り出して議論する。そういう意味で、次につながる研究をしたかったのです」

――議論が「文部省」対「学力低下論者たち」という単純な図式に収斂していく中で、苅谷さんとしても考えるところがあっただろうと思います。

この年、苅谷さんの言動で驚いたことがあります。十一月号の『世界』で佐藤学さんと共同の論文（佐藤学・苅谷剛彦・池上岳彦「21世紀のマニフェスト　教育改革の処方箋」。『論争・学力崩壊2003』に転載）を発表されたことです。

なぜかと言えば、私はその時点では苅谷さんにいちばん近い人は和田さんだと思っていたからです。佐藤学さんというのは和田さんの対極にある人で、苅谷さんから見ても反対側の陣営の人だろうと思っていたのですが違いますか。彼は子ども中心主義の立場の人で、総合的学習を推し進めてきましたよね。

「佐藤さんの議論はちょっと複雑で、それほど単純ではない。彼は、総合学習的なものを認めてはいますが、単純に子ども中心主義で行けばいいと言っているわけではない、と私は理解しています。それに、私自身は、子ども中心主義に賛成か反対かという対立軸を持っているわけではない。たしかに、思想的な弱さもあるし、とくに、どんな子どもも学ぶ意欲を持っているとか、誰もがすぐれた個性の持ち主だといった、『強い個人の仮説』に立っている点は問題です。総合学習にしても、それ自体に私は反対しているわけではない。力のある学校や教師がやる分にはいいのですよ。ただ、それを条件整備の議論もないまま、全国一律の『総合的な学習の時間』にしてしまったことが問題なわけです。つまり、そういう理念が実現する時の仕組みや、税金の使い方の話なんですよ。ひとつひとつの教室レベルの問題と制度の問題を分けて論じなければいけないということは、かなり早い時期から指摘してきましたが、それにつきるのです。公立学校、公教育というのは、どこかで必ず税金の使い方の話をしなければいけない。それなのに、税金の使い方の話をいっさい抜きにして、授業論や子ども論になってしまうからおかしくなるのです。

今だって総合的な学習の時間をやることにはまったく反対していませんよ。ただ、やり方によっては、どんな問題が生じるか、ということを言っているわけです。それは逆に言えば、百マス計算のようなことだけやったら、どんな問題が起きるのかということとまったく同じですよ。陰山英男さんのように力のある教師がやる場合と、そこまで考えずに流行にのって百マス計算のドリルだけやる教師が出てきた場合にどうなるか、ということ。この問題は、総合学習の危うさと同じで、そうなればそういうことを私は言うようになるでしょう。そういう意味で、私自身は授業論とは別のところで議論をしているつもりです。授業の『べき論』より、実際の結果がどうなっているのかを制度のレベルで問題にする視点がこれまでの教育研究には弱かったですから。

佐藤学さんの話に戻すと、彼はカリキュラムの専門家でもあり、教授論の専門家でもある。佐藤さんの目から見ても、今の改革の流れの中で、あれだけの教育内容を削って総合的な学習を進めることに対しては、『学びからの逃走』を主張して批判をしていたわけだから、その点では一致点は少なくない。

それに、佐藤さんも、教育の階層差の拡大については問題視していた。私の研究などにも言及していたし。こういった点は共通していると思っていたわけです。

それに佐藤さんが実際に学校改革に関わっているところに私も出かけてみると、確かに良くできている。うまくいっているようにも見える。浜乃郷（茅ヶ崎市浜乃郷小学校）などの実践はなるほどと思った。教師の同僚性をどうやって育てていくかとか、これまでと違う発想で授業研究をどうやるか、いかにして会議の数を減らすか、などなど。そういうことができているならば、それができる理由を探ればいいのであって、否定する必要はどこにもない。それで、総合学習的なこともできているなら結構なことですよ。

もう一方で、たとえば加藤幸次さん（上智大学文学部）たちが愛知県の緒川小学校や卯の里小学校でやっている実践についていろいろなところで紹介しています。単純化して言えば、『総合学習をやるとこんな力がついていますよ』というふうに紹介されることが多い。ただ、見逃してはならないのは、研究者向けに書かれた報告書を読むと、そこには、個別学習や習熟度別指導などを通じて教科の学習もドリルなども徹底してやっていると書かれている。ところが、『学力低下』論者への批判の文脈で一般向けに書かれたものだと、こういうことには触れないまま、『総合的な学習の時間』の弁護にまわってしまう。それで、一度、加藤さんたちと一緒にやっていた立教大学の奈須正裕さんに『こういうことも一緒に書かないと、世の中では、総合だけやればいいのかと誤解されるよ』と言ったことがある。そういう実態把握が重要ではないですか。奈須さんはそのことに触れた報告を書いてくださったけれど。どうしてもいい面だけを強調する風潮が日本の教育研究には強い。なぜ、そこでうまくいったのか、何がネックなのか、まで目がいかなくなる。

話を戻すと、岩波の『世界』から依頼があったことに私自身びっくりしました。今までの岩波の教育の論調からいったら、私に声がかかるとは思えなかったから。私たちの世代から見ると、岩波書店に登場する教育研究者というのは、まさに戦後進歩派教育学の代表格の方々ばかり。でも、『世界』は、その後も学力低下の議論を取り上げましたね。数学者の上野健爾さんの論文を掲載したりね。

岩波を含め、今までのいわゆる進歩的教育学の路線にのってきたマスコミも、しだいにそれだけでは不十分だと気づいたのではないですか。世の中の対立軸が変わっていることに、進歩派のマスコミ陣営は、最初気づかなかった。岩波も朝日もＮＨＫの教育テレビも。『子どものため』『子どもの視点』の大切さを標榜してきたジャーナリズムにとっても、教育の論じ方の対立軸を変えるためには、いったん今回の学力低下論争みたいなものをくぐり抜ける必要があったのではないですか。私の偏った見方かもしれないけれど。

教育改革をめぐっては、共同体主義と個人主義の対立もあったし、自由主義と平等主義の対立もあったし、それも、昔の平等主義ではなくて、『第三の道』的なものまで含めての平等主義だから、ずいぶん対立軸が変わったわけですよ。『子どものために』とか、『受験教育の弊害』とか、そういう議論だけではもう通用しなくなってしまった。ナショナリズムをめぐる対立軸でもそうです。学力論争に限って言えば、いわゆる古いタイプの論争をしてきた教育研究者たち、ジャーナリストたちはあまり登場しなくなっていた。文科省に賛成するか反対するかという対立軸の意味が変わっていたのだから。

それに比べると、教育研究のプロパーではない四十代前後の社会学者の発言には、私自身、共感するところが多かった。どこかでこの仕組みを変えないと次へ行けないという視点を共有しているという理解があったからです。もちろん、そこにいたる筋道や方法を含め、意見の違いはあるけれど、教育研究者の発言に比べると共感する部分は、社会学者を含めた社会科学者の意見に多かった。

世界の大きな流れの中で、対立軸が変わってきたことに比較的早く気がついた人たちが、教育について発言する時の論じ方を変えていったんだと思います。

つまり『何が論争の争点なのか』ということについての見通しがきいていたかどうか、ということです。私自身がわかっていたということを言いたいのではないけれど、どういう次元で議論が行われていたのかということに対する見通しの違いは、それまでの教育論への関わりをどれだけ引きずっていたかどうかによっても違っていたと思うんですよ」

――佐藤さんたちとお書きになった「教育改革の処方箋」では、新保守主義とか、新自由主義に対して否定するスタンスが、全体の基調ですね。それが苅谷さんの考えている新しい対立軸ということなんですか？

「たしかに、ひとつはそれをあぶり出すことでしたね。日本の場合、その新自由主義・新保守主義なるものと、個性主義と子ども中心主義は実はある部分で共犯関係にあったわけです、その時点で。

ところが、子ども中心主義で教育を見ていた人たちは、その後ろに新保守主義や市場主義がくっついているとは思わないわけです。すると、進歩派教育学は反論できない。自分たちの言っていることが採用されていると思うわけですよ。その次に待っているのが学校選択だったり、もっと言えば学校教育の解体だったりする可能性があったのに、教育改革は自分たちのゆとり教育と子ども中心主義の実現のための改革だと思ったわけですよ。

だけど、実際は対立軸はそこにあったわけではなくて、子ども中心主義対旧学力の対立に見せかけて、実は全然違う。ひとつは公共性をめぐる議論ですよ。もうひとつは、共同体性をめぐる議論です」

――すると、その点では一致しているわけですね、佐藤学さんと。

「少なくとも、公共性をめぐる論点については共有していた。そんなに詰めて議論したわけではないんです。ただ、あの時に佐藤さんとも意見が一致したんだけど、共同執筆者の中に絶対に財政学者を入れようと考えました。仕組みの問題、補助金とか全部ひっくるめて、財政の問題に議論を持っていかない限りは、また空中戦になってしまう。そういう議論は、私はいやだと思った。佐藤さんが前半を書いた。私が分担して書いたところは、雇用の問題と、高等教育の問題と、そしてそれが不平等化とどうつながるかという最後のほうでした。その間に、財政の問題を専門家に書いてもらおう、そういう話にしたんですよ。

ひとつ裏話をすると、あの『21世紀のマニフェスト』のシリーズを企画していた金子勝さん（慶應義塾大学経済学部教授）とあの頃、朝日新聞の『論壇時評』の委員で一緒だった。それで、金子さんとは月に一度は会っていた。金子さんは佐藤さんとは旧知の仲。お二人とも、今の対立軸が旧左翼ではうまく分析できないと承知しており、旧左翼的な問題のとらえ方を乗り越えることを課題としていた。

『世界』の連載は後に『21世紀のマニフェスト』（岩波書店、二〇〇一年）として一冊の本になったけれど、ああいう形の成果を金子さんは最初からねらっていたようです。それで、金子さんからも誘われていたのだけれど、その時にも、私は、とにかく財政学者が必要だと言って、財政に関する議論を入れない限りリアルにならないと言った。その結果、あの三人の組み合わせができたんですよ」

――私は『21世紀のマニフェスト』の「まえがき」にあたる山口二郎さん（北海道大学大学院法学研究科教授）の「『ポスト団塊世代』宣言」や金子さんの「あとがき」を読みました。そこには新たな対立軸をつくるという宣言と同時に、「世代革命」を唱っています。団塊の世代批判があり、そこで「情緒的な言説で人びとを煽る『作法』という点で、彼らはあの頃と何も変わっていない。ただ中味が『左』から『右』に変わっただけのことだ」（金子勝）と述べています。あれは、これから新しい対立軸をつくろうという人が言うこととしては、適切ではないのではないかと思いました。「団塊の世代」を金子さんのように大括りしてよいのかどうか。別のわかりやすい図式をつくって、無意味な世代対立を煽ることにはならないのか。

「そういう感じはたしかにあったのかもしれませんね。ただ、私自身としてみれば、教育研究者の古いスタイルの教育の論じ方への批判はあった。世代間の対立というよりは、別のものだったのかもしれませんけれどね。若い人たちにも同じような論じ方をする人が少なくないから。それはともかく、とにかく批判のための批判ではなくて、そこから次に何かが出てくるような批判的な検討というか構想を出そうという点は金子さんのアイデアに共感した。

あの『世界』の論考は、教育研究者だけでは書けない。佐藤さんや私だけでは書けない部分を財政学者の池上さんに書いてもらおうと。もちろん佐藤さんとは同じ東大にいるし、日常的には話をする。仲も悪くない。ただ、学問的な意味で同じ土俵に乗っかって一緒に書くということは今までなかった。でも岩波としては私では全然看板にはならないから、佐藤さんと組んでということになったのでしょうかね」

――そこに苅谷さんが入っていくということも、マスコミの論じ方を変えていくことになるし……。

「と言うか、NHKの人間講座に出た時もそうだけど、一方で『メディアを通じて世の中へ』ということもあったけど、『メディアの人に向けて』というねらいもあったんですよね。

だから、マスコミの方と話す時には、とくに進歩派メディアと言われたところだと、『今までの教育についての論争では、本当の対立軸が見えていないのではないですか。それがわからない限りは、今までのような議論を重ねて、学力低下論争をしたところで、結局は旧学力、新学力、みたいな論争になってしまう。そういった次のビジョンが出てこないような議論を私はするつもりはない』と、言ってきたつもりです」

——ここに苅谷さんの西村さんとか和田さんたちと違うスタンスが、よく現れていますね。

「そこは自分ではよくわかりません。自分のことで言えば、私自身は、西村さんたちや和田さんとは違う意味でこの問題に関係を持たざるを得なかった。要するに、いくら社会学者だと言ったって、教育を研究する教育社会学である限り、教育研究者ですから。私が、憶測だけでものを言ったり、印象論で議論を組み立ててしまったら、教育研究者としてはその時点で失格ですよ。専門外のフィールドで発言しているわけでないのですから。しかも最初の頃は、教育研究者の世界の中では圧倒的に逆風でしたし。教育社会学者だって最初はこういう問題についてはほとんど誰も発言していない。藤田英典さん（『論争・学力崩壊』に田村哲夫氏との対談「『ゆとり』改革の功罪——全体の底上げか、エリート養成か」を転載）くらいですよね、その時点では」

——藤田さんも前から同じスタンスですね。

「はい。藤田さんとは本当に共有部分が大きい。ただ、藤田さんも理論家です。データを使っておっしゃることもあるけれど、自前のデータをつくって言うより、理論的な整理や論理的な矛盾点をつくとか、社会学の豊富な知識を使って論じることが得意です。私はそこはあまり得意でないから、逆にデータで行くしかないと。とくに、そこでどうやって現実を動かしていくかと考えると、やっぱりデータの強みがあると思っていたから、私としては藤田さんのスタイルとは違うスタイルを採った。いずれにしても、その時点では藤田さんも私も少数派ですよ」

グローバリゼーションの渦中で

――十月に西村さんたちの「グローバル市場競争時代における教育・人材育成のあり方」研究委員会の研究報告を元にして、㈶地球産業文化研究所「産業文化委員会」が「学力の崩壊を食い止めるための、教育政策に関する緊急提言書」（『論争・学力崩壊２００３』に転載）を発表しました。

「本当のところ、私はそれにはほとんど関わっていないんですよね」

――二〇〇〇年も終わろうとする十二月には和田さんと寺脇さんの対談本『どうする学力低下』（ＰＨＰ研究所。一部を『論争・学力崩壊２００３』に転載）が出版されました。あれは非常に面白かったです。二人は、それまで論争で対極にあるような印象を与えていましたよね。

ところが、あの本の中で、ほとんどの点について一致をみているわけです。競争原理、市場原理というような根本原則では完全に一致していて、大きな対立に見えていたものは表面的なものでしかなかったということが明らかになりました。

苅谷さんは、どんなふうに二人の対談を読まれましたか？

「和田さんは比較的市場原理に反対の人でしょう?」

――この本では二人は一致しちゃっていますね。和田さんも九九年の時点では、まあいろいろな理由づけがあったけれども、その中でやはり優先順位ってありますよね、何が最もその人の中での根本なのかっていう。そうすると、苅谷さんのような階層化の問題ということよりも、市場原理の徹底のほうが、和田さんにとっては中心的なことだった、ということが明らかになってきた。

そうすると逆に、苅谷さんのスタンスの違いも明確になってくる。この論争の最初の段階では、そういう苅谷さんと和田さんの違いはわからないですよね。

「ただ、ひとつ誤解を解くためにあらかじめ言っておきますが、私は、教育を通じて社会が完全に平等になるとか、教育における階層差がまったくなくなるとは言っていないんですよ。この点では、和田さんも同じかもしれません。

それに、労働市場とか雇用市場とかの中で市場化や競争原理が、ある程度強くなるのはやむをえないという見方もしている。グローバリゼーションの影響を考えても、いわゆる『終身雇用』を維持できるわけはない。いや、もともと終身雇用そのものが日本の中では一部の人たちの特権であったわけで、ある意味で、幻想だった。ただ従来の雇用慣行で雇用を守ろうという意識が強かったことは事実です。それが今、急激に変化しようとしている。公共事業依存型の日本的再分配政策も、かつての福祉国家のモデルも、財政的には持たないわけですし、産業構造の転換を図るうえでも、雇用の流動性が高まる必要があることは否定しない。ただ、フルタイムからパートタイムへの変化のように、労働市場の中で中核的な部分と周辺的な部分とに急速に分かれてきていて、周辺的な労働に対する対応が競争原理だけになってしまうと、階層化の問題と絡んでくる。いずれにしても、経済社会の中での流動性の高まりや産業構造に対応した変化はもはや避けられない。所得分配の仕方も変わっていくでしょう。

その時に、教育の責任はどうするんだ、ということについては議論されてこなかったと思うんですよ。私が学力低下の問題を通じて、義務教育の果たすべき責任にこだわったのも、そこなんですよ。義務教育でも、特に小学校の段階で『ゆとり』や『総合』の名の下にあまりに子どもの自主性に任せてしまうと、十分な基礎力を持てないまま中学校に進む生徒が増えていく。それも階層差を伴ってです。小学校で基礎が身に付いていなければ、中学校での学習が難しくなり、意欲を失うのは当然です。それでも、『自己責任』原則のもとで、中学校に入ったら、勉強したくない子は勉強しなくてもよい、と、それも個性だと言われてしまったら、どうなるでしょう。学習意欲の階層差という問題の発生メカニズムをこのように考えると、教育改革の盲点をつくことになる、と考えたわけです。もちろん、一律平等の教育を掲げても、画一的な教育に終わってしまうから、単純にこれまでの教育のままでいいというわけではなかったのですが、それでも教育改革の議論では、あまりに階層化の拡大の視点は弱すぎた。

私自身がやってきた高卒労働市場の研究から言えば、高卒で無業者となるかどうかには、明らかに階層差があった。残念ながらデータは取れなかったけれど、高校へ行ってドロップアウトしたあとで、フリーターになる可能性も階層と関連していると考えられる。ところが、進路指導で言われる『主体的な選択』や『自己選択』ということになると、その責任は個人化されてしまう。実際には、高校に入学するまでの教育の影響を受けて、基礎的な力の弱い生徒がこういう進路をとりやすいという可能性があるのにです。そうだとすれば、自分で選択の結果、労働市場に出た後で、『フリーター』になったのだから、いいじゃないかとは言えない。

つまり、自由論の系譜で言うと、自分で選んだように見えるけれど、選択を可能にする潜在的な能力の形成の問題があるわけです。それがなければ自由はあり得ないわけですが、進路指導にしても教育改革にしても、基本的な理念は、金子勝さんが言う『強い個人の仮説』に縛られすぎている。誰もが主体的な選択をできるわけではないのに……」

――これから「選択」という言葉の本当の意味を明らかにする必要がありますね。何を「選択」として考えるのか。

「それは、『能力』と『情報』の問題を含めてね。その時の『能力』について言えば、どこまでが公共的なサービス、あるいは税金を使って、社会がその基盤の形成に寄与したのか、という判断が重要になる。どの年齢まで、どの広がりまで、といったことについて、社会はある程度の合意を形成しておく必要がある。そして、ここまでやりましたということを証拠として出すこと、つまり、アカウンタビリティということですが、そのアカウンタビリティを明確に示すことによって、それ以降の選択の結果や不平等化の結果については、社会として認めるという方向でいくしかない。どこまでも結果の平等というわけではないのです。

ただ、それをどのレベルまでやるか、どのように具体的にやるかという方法論についてはいろいろある。日本の教育改革の議論で言えば、この点が最も遅れているというか、欠けていた。公教育のアカウンタビリティの議論を、社会の公正の問題と結びつけて論じる視点が弱すぎる。アカウンタビリティといえば、どちらかといえば、資源配分の効率性の視点からしか議論されない。もっとも、公正の基準に照らして、公教育のアカウンタビリティをどうやって具体的に確保するかとなると、いろいろあるから、まだまだ詰めの議論をしていかなければならない。国が全体として最低基準を保障するのと、地方がどれだけそれぞれの地域のニーズを勘案しながら、その地域内での公正を達成するのにふさわしい手段を探ることとをどう組み合わせるかとか。だけれど、少なくとも義務教育段階で公立学校の役割の中にいちばん基盤になる最低基準の保障は国が責任を果たすべきだと思います。こういう公教育の公正の基準から見たアカウンタビリティの議論を前提に置かない限りは、そこから先の競争だ、市場原理だという話には私としては乗れない」

——端的に言って、和田さんと苅谷さんは、どこが違うのでしょうか。リアルかどうかですか。

「寺脇さんと和田さんがどこで一致点を見たのかが正確にはつかみにくいので何とも言えません。違いがあるとすれば、私は社会科学の研究者だから、実証的なデータを使ってものを言うとか、社会の変化をどういう原理で見ようとするかということについての違いですかね。現象は一枚岩的になんて発生していなくて、必ずある属性なり、カテゴリーの中で生じている。そのカテゴリーをどうやって画するか、という点を私としては重要視してきた。だけど、学力論争もそうだけど、こういうカテゴリーを設定をしないで議論するから、小学校一年生から高校三年生まで、全体を一緒くたにゆとりだ『生きる力』だ、と論じるか、さもなければ『一人ひとりの子ども』といった、いずれにしても抽象論に陥ってしまう。一人ひとりの違い、などと言ったら、たしかに違いはあるのだけれども、社会政策や制度としての話はできなくなる」

――一言で言うとリアルかどうかということですよね。

「私としては、税金を使って運営されているのが公教育である以上、リアリズムにこだわる。私の示したデータや意見がリアルであるかどうかは、ほかの人たちのデータや意見と比べて市民が選べばいいのです。自分がいつも正しいと言っているのではなくて、ある政策なりなんなりが出されている時に、それでよいのか、それで税金に見合った成果が得られるのか、ということを判断できる材料を私としては出せるような議論をしてきたつもりです。そういう論点を出したうえで、市民が選択していく。情報公開にしても、そういうことでしょう」

――たとえば「学校選択」についての苅谷さんの考えは？

「これも議論を複雑にしてしまうかもしれないけれど、私は、『学校選択』に反対の意見を明確に示したことはない。なぜかと言うと、良い、悪いという単純な二分法の議論ではないからです。たとえば、東京都品川区のような大都市圏の政策としては成り立つ議論でしょうが、学校まで何キロも歩かないと行けないような地方の公立学校の役割の話としては議論にならない。選択しようにも学校がないのだから。

東京のように、二五％くらいの生徒が私立中学校に通学しているようなところでは、公立校の間で学校選択の余地がなくても、お金のある階層にとっては私立中学という選択肢が用意されている。こういう公立と私立の競争が存在する地域で議論するのと、私立もなければ、公立の間でも通学距離の関係で選べるところがないという地域とでは全然違うわけですよ。中央教育審議会というのは少なくとも日本の教育全体のことを議論しているわけですよ。そうだとすると、学校選択をやってもよいという政策は、あくまでもそれが可能な地域だけを念頭に置いた規制緩和策であって、ほかの地域の教育の改革につながる施策ではあり得ない。そうすると、片方は『選択』の幅を広げ、競争を導入する一方で、選べない地域では一律『ゆとり』だけになってしまうことだってある。だから、全国すべての地域で学校を縛ればいいのかというと、そこは考えようだと思う。

たとえば学校選択によって公立学校の間で活性化する部分があるというのならば、やってみてもいい。しかし、税金を使ってやる以上は必ず政策評価をしなければならない。問題があれば改める、うまくいかなければ改める、それ抜きに、魔法の杖みたいに思って、学校選択を入れれば競争を通じ学校は良くなる、とやると、必ずどこかで問題が生じますよ。それから、そもそも学校選択を入れたくても入れられない地域については別の教育活性化の方法をあわせて考えなければいけない。

いずれにしても、教育改革が必要だというのなら、学校選択制にしても、まったく禁じ手にしてしまって、現状維持でいいというわけにはいかない。いろいろな試みをやったうえで、問題点を改善していくという、実行と評価とのフィードバックをしっかりやって、さっき言った意味でのアカウンタビリティの原理も入れてやればいいのです。その判断は、最終的にはそうした情報に基づいて地域住民がやればいいのですよ。その場合、たとえば品川区的な学校選択のやり方もあるかもしれないし、別の地域には別の方法があるかもしれない。いろいろやってみて、政策評価して、自分たちのやり方に対してちゃんと実態をふまえたうえでその住民たちが判断すべきです。極端な話、品川だって区長が選挙で変われば、教育政策も変わる可能性があるわけです。

それと、これには財政の問題も絡んできますよ。地方に十分な財源がないと、改善の話にはなりませんから。税金に見合った成果を出せるかどうか、その成果をそれぞれの地域住民がどうやってとらえればいいのか、そこを専門家の意見なども入れて具体化していけばいい話です。結局、市民社会ってそういうものでしょう。税金を出している人たちが投票権を持っていて、自分たちの教育はこういうことをめざしており、こういう成果を上げている、と。そういった情報を住民自身も求め、行政もそれに応え、判断して決めたことなら、学校選択を取り入れることも受け入れられると思うのです。ただし、どういう副作用があるのかについての十分な議論が必要なことは言うまでもありませんし、弊害が生まれた時にはその点をはっきりと情報公開することが不可欠であることも言うまでもないことです」

教育界の動き——2000年

「教育改革国民会議」が3月に小渕恵三首相（当時）の私的な諮問機関として発足した。次の森喜朗首相（当時）に引き継がれ、12月に最終報告提出。

2000年には、新聞、論壇誌、教育雑誌などがこぞって「学力低下」のテーマをとりあげ、書物も多く出された。この論争は99年には大学の教養教育や入試制度の問題も視野にはあったはずなのに、それらはどこかにいってしまい、「文部省」対「学力低下論者たち」という単純な図式に収斂し、「ゆとり」教育の是非だけが問題にされた。

3月　『分数ができない大学生』と同じ編者（西村、戸瀬、岡部）によって『小数ができない大学生』（東洋経済新報社）が出版。

「グローバル市場競争時代における教育・人材育成のあり方」研究委員会のメンバー西村、戸瀬、オブザーバーの浪川、上野に和田秀樹を加えた五人が代表幹事となって、「二〇〇二年度からの新指導要領の中止を求める国民会議」が結成され、「教育二〇〇二年問題を防ぐ署名運動」をインターネット上に展開する。この署名リストには二〇人が名を連ねているが、榊原英資、林道義、八木秀次、渡部昇一などの名前もある。

6月	苅谷「『中流崩壊』に手を貸す教育改革」発表（『中央公論』7月号。後に『論争・中流崩壊』に転載）。
7月	『中央公論』8月号「特集　学力低下」。
10月	『世界』11月号　佐藤学・苅谷・池上岳彦の共同執筆「教育改革の処方箋」掲載（後に『論争・学力崩壊2003』に転載）。 「グローバル市場競争時代における教育・人材育成のあり方」研究委員会の報告をもとに、財団法人・地球産業文化研究所の「地球産業文化委員会」が「学力の崩壊を食い止めるための、教育政策に関する緊急提言書」を発表。「学力の崩壊によって「日本の産業・経済界全体において国際競争力の弱体化の恐れがある」」。
12月	和田秀樹と寺脇研の対談『どうする「学力低下」』（ＰＨＰ研究所）出版。

4　二〇〇一年「『ゆとり教育』抜本見直し」

不平等問題へのギア・シフト

――二〇〇一年一月五日の『読売新聞』が朝刊の一面トップで、「『ゆとり教育』抜本見直し」を報じました。文部省は「抜本見直しは考えていない」と釈明に追われることになります。この年になるとはっきり風向きが変わってきましたよね。

三月には中公新書ラクレから『論争・学力崩壊』が『論争・中流崩壊』とあわせて出版されました。四月にはさらに教科書検定があり、歴史教科書をめぐる騒動が四月の検定から夏の各地での採択にかけて長く続きました。

四月には小泉純一郎内閣が誕生し、文部省から新たに再編された文科省の大臣に就任したのは遠山敦子さん。その遠山大臣は、夏以降明確に「学力向上」を謳うようになり、文科省は予算編成にあたって「学力向上フロンティアプラン」を打ち出しました。

西村さんは日本経済新聞社から『教育が危ない』の三巻シリーズを刊行し、六月には、西村、戸瀬、和田さんに、浪川幸彦さん、上野健爾さんを加えて、西村さん編の『学力低下と新指導要領』（岩波ブックレット）が出版されます。

「ちょうど私が『中央公論』に『時評2001』（本書第三部1〜8章）を連載していた時期ですね。本当にあの年はいろいろなことがありました。教育改革国民会議から始まって、一方でナショナリズムの台頭のような傾向があって、続いて例の教科書問題でしょ。連載は終わっていたけれど、九月にはニューヨークのテロがあった。その中で、学力論争は依然として続いていた。そして、私としては二つの研究をやっていた。ひとつは教育委員会レベルの調査です。教育改革を地方から発想するための代替システム探しの研究を始めていた。

もうひとつは、自分たちなりの学力データを集めるための調査です。この準備には時間がかかりました。これは一九九九年に、市川伸一さんを代表者として日本学術振興会から科学研究費という研究費をもらって始めたものです。調査の設計を二〇〇〇年から本格化した。そこでまずやったのは、再調査が可能な、つまり過去と比較できる良質の学力調査を探し始めたことでした。二〇〇二年に出した岩波のブックレット『「学力低下」の実態』の調査は二〇〇一年の秋にやった。その準備が二〇〇〇年から。

この調査では、教育改革と学力の実態との関係をとらえようとした。たんに低下しているか否かだけではなくて、たとえば新学力観的な授業の影響だとか階層差だとか学習態度や勉強時間とか通塾の影響とか、そういうものを調査項目に含めました。

この調査を企画した時点で、すでに文科省が全国調査を行うことが明らかになっていた。それを見込んで、文科省の調査ではできないことをやろうと。絶対にこれは文科省の調査項目に入らないというような要因を最初から見込んで入れました。

しかも、文科省では、過去との比較ができない。階層とかの要因も入れられないだろう。通塾の有無によって正答率が過去と現在とでどう変化したかなんていう視点の分析もやれるわけがない。教育改革のネガティブな影響にも目が向きにくいだろうということも考えた。こうしたことがポイントだったから、とにかく、問題意識を鮮明にした調査をしようという発想だった。

つまり、私たちがやる調査は地域も限られるし、サンプル数も小さい。学年だってそんなにたくさん調査対象に含められるわけもない。かたや文科省のほうは全国調査で、四五万人という大規模データです。どう考えたってデータの量的な面ではかなうわけがない。だけど、どういう視点で調査をやるのか。公教育のアカウンタビリティや教育改革の影響、階層差ということと絡めて調査をやるというねらいにこそ、私たちが――その時には「私たち」と言えるぐらい一緒に共同で研究してくれる若い人が入っていたんだけれど――独自に学力調査をやる意味がある。教育を社会学的に研究するということは、政策とか改革と呼ばれているものが、日本の社会の変化の中でどういう意味を持つのかを明らかにすることにつながっていかなければならない。そういう視点を持ち込むことによって文科省とは違う調査ができる、という確信を持って準備をしていたんです」

――四月には新しい地方教育行政法が施行されて、教育でも地方分権の流れが明確になりました。教育のポイントが地域レベルの教育委員会に移っていって、そこが中心に変わらざるを得ないと私は思っていました。

「結局、学力論争と言っても文科省の政策に対して、賛成か反対かを言うだけでは意味がない。今や国家の機能自体が変わっていることを視野において教育政策についても論じなければいけないということを強く感じてきました。

これはあるイギリスの学者の研究ですが、サッチャーが教育改革をした時から国家の役割は変わっていると言われています。『評価国家』という言葉を使うのですが、教育施策の細かいプロセスのコントロールを国家は放棄する代わりに、結果を国家が評価すべきだという方向に国家の機能が変わってきたというのです。

そういう流れの中では、変化を生み出す直接のエージェントは、もはや国家ではなくなってしまう。実際に教育改革を実行するのは、自治体という地方の公共体かもしれないし、あるいはまったく民営化した個人とか企業体かもしれない。担い手さえ限定することなく、そこに税金をつぎ込む限り、結果や成果は国が評価する、ということになる。もちろん、評価の仕方や主体、基準やその結果の公表の仕方といったことが重要な論点になるのだけれど、その一方で、改革の担い手が誰かはあまり重要ではなくなる。極端に言えば、株式会社だろうが、NPOだろうが、地方自治体だろうが、エージェントの問題ではない。バウチャーにしても、チャータースクールにしても、こういう制度が出てくる背景には、評価という国家の営為が、これまで以上に政治的な意味をもって、プロセスのコントロール以上のことをするようになったという変化がある。こういう変化は教育の世界だけではなく、福祉や医療といった領域でも起きている。日本での教育の議論ではあまり取り上げられなかったけれど、対立軸が、細部の統制をめぐる問題から、成果の評価をめぐる問題にシフトしてきたわけです。

こういう世界的な流れに位置づけてみると、教育の地方分権の問題も違って見えてくる。地方に権限を下ろしていった後で、誰がどう評価するのかが今後日本でも問題になるでしょう。今まではあまりに評価の問題が日本の初中等教育の世界では軽視されていましたけれどもね。国が担うか地方が担うかという評価主体の問題を含め、財政と絡んできっと問題になると思っています。

日本の場合、なかなかそこに行かないのは、財政の縛りが未だに強いからなんでしょうね。

地方分権だと言っていながらも肝心なところでは国や都道府県は財政の権限を全然手放していない。これから起きてくることなのかもしれないけれど。

たとえば、三〇人学級と言っても、国家財政からお金を出せばいいという問題なのか、財政の仕組みを変えることによって出せる問題なのか。文科省の方針では、少人数授業のための教員定員の改善はやっているけれど、それを授業ごとの集団の人数ではなく、通常の実際の学級規模を小さくしようとした県があるようだけれど、この問題ひとつとっても、国との間で摩擦が起きる可能性があると言います。実際にはやっているようだけど（文科省はその後、この方針を改めた）。

それから、建物に使うお金は他には使えないだとか、検定に合格した教科書については一冊いくらだとかいうことが、こと細かに決まっている。さらに、そういう縛りを前提に、自治体や教科書会社が自主規制という名の下に、自らを縛ってしまうことも少なくない。こういう縛りを変えない限りは指導要領の記述をどう変えたって何にも変わらない。金額の問題というよりは、仕組みや意識の問題ですよ」

――七月に出版された苅谷さんの『階層化日本と教育危機』。二〇〇二年に第一回大佛次郎論壇賞奨励賞を受賞されていますが、この本には、論争の渦中でお書きになったものがまとめられていますね。この時点では学力低下論者の中でも、苅谷さんのスタンスの違いが明確になっていますね。

「あの時点で、私の中では、実は学力低下の問題は終わっていました。学力低下ではなくて学力格差と不平等問題にいかにギアをシフトするかということが、あの頃のいちばんの課題で、たぶん書いているものもその問題がいちばん多いはずです。

たまたま『階層化日本と教育危機』があゝいう形で賞を頂くことになったから、おそらくメディアで取り上げられる機会も増えたのかもしれません。受賞よりは先に決まっていた企画だったけれど、NHKの『人間講座』に出たのも、あの時期に重なる。その時に言っていたのはひとつだけ。『不平等問題』『階層問題』。ある意味で、こちらのほうは『学力低下』どころのタブーじゃないですからね。

学力問題はある意味では教育学的な論争ですよ。だけど、階層化の問題というのは、社会認識とか社会をどうとらえるかと関係する。もちろん、社会の実態把握にまで絡んでくる問題です。ちょうど佐藤俊樹さんの『不平等社会日本』（中公新書、二〇〇〇年）がベストセラーになって、それと『論争・中流崩壊』と『論争・学力崩壊』が同時期に刊行され、その両方に私の論文が載った。それが、その時の私の言論活動を象徴していますよ。もうその時は、いかに階層化の問題につなげられるかに軸足を移していました」

歴史教科書問題と教育基本法改正論議に通底するもの

――二〇〇一年に春から夏にかけて歴史教科書問題があり、従来の「左右対立」の動きが復活しました。そのことも大きく影響していると思うんですが、この年の夏に、やっと従来の「左」「進歩派」の勢力が反撃を開始します。日教組系の人たちや全教系（共産党系）の人たち、文部省の側で総合的学習を推し進めてきた教育学者たちが反「学力低下論」の本を次々に出版しました。苅谷さんは、それをどんなふうに見ていたんですか。

「日教組系の出版物で言うと、そこで登場した人たちの私に対する評価は人それぞれで違うんだけれど、個人的に知っている人も少なくなかった。だから、批判を受けていても、ちゃんと話をすれば私が何を言いたいのか、ある程度わかってくれるだろうとは見ていた。ただ、私自身としては、どこの組織からも一定の距離を置いていたいという気持ちは変わらなかった。タイミング的にはすでに階層化の問題に軸足を移していましたから、低下か否か、学力の定義は何か、といった議論にはあまり乗る気もありませんでしたが」

――苅谷さんは「日教組」という言葉をあまり出さないじゃないですか。あれは意識的なんですか？

「やはり、どんな団体であれ、一定の距離を置きたいと思っているから。個人にしても組織にしても、固有名詞を使うことで余計な反発を買ったり、本筋以外の論争に巻き込まれることがあるだろうと。そういう論争に巻き込まれたくないというのは、いつも考えていることです。生産的な議論をするために、退路を確保しようとしているのかもしれないけれど。『大衆教育社会のゆくえ』を書いた時、戦後の教育言説史を自分なりに研究して、巻き込まれたくない性質の議論がけっこうあることには気づいていましたから。そういうところにエネルギーを割くのは、あまり好きでない。別に自分だけ綺麗なところにいたいというわけではないけれど、最初に学力低下論争の問題を提起した時に叩かれた経験から、距離の取り方は学習しました」

——話は変わりますが、「教育改革国民会議」の中で、「愛国心」が強調されました。中教審の教育基本法改正をめぐる中間報告がそれに続き、二〇〇三年の国会で審議入りする予定です。これに関して苅谷さんはどんなご意見をお持ちですか。

「そのことについては、『中央公論』の『時評2001』に書きましたね。ちょうど歴史教科書論争の時にもそうでしたが、従来の対立軸をずらす議論をしたのです。それまでの進歩派教育学対ナショナリストだったら、これは正面衝突の対立のままでしょうけれど、『そこで問題となっている公というものは何なのか。教育の公共性と国家との関係をどうとらえるのか。公を定義し直せるのか。こういう点を詰めないまま議論しても始まらない』と。国家と公的なものとの関係を従来の枠組みでとらえたまま、空中戦をやっても、これは学力論争とまったく同じで、論点が見えてこない。先ほども言いましたが、国家の機能も変わろうとしているわけですし、教育の公共性を再構築しなければならないのだから。

だけど、そこで『公』をめぐって議論の再構築をするとなると、機能面での国家の縮小という傾向と、シンボリックな意味での国家の拡張という傾向とをどう考えるかという問題が出てくる。一方で地方分権化や規制緩和という動きが不可避であり、国家の役割は縮小しつつある。しかも、『自己責任』の原理の追求や個人主義化を、『個性尊重教育』ということで日本の公教育自体を推し進めているわけだから、国家による求心力とのバランスも変わっている。他方で、グローバル化の進展で、国境の意味も変わる。単一民族の神話も壊れつつある。そこで、シンボリックな意味で国家的な統合の必要性を感じる人びとが出てくる。こうした二つの動きを、教育という、一方でイデオロギー的な機能を担い、他方で経済や社会と密接に結びついている領域でどう調整するか。グローバル化という、これはもう論争と言うよりも、現実の国家の境界自体が揺らいでいる中で起きている問題をどう考えるか。その点は、旧来の枠組みでは見えてこない。しかも、その後、『九・一一』が起き、アフガン戦争があり、民族性の問題が国家と対立することが明確になった時点で、さらにこうした問題が難しくなってきた。

国家のあり方が変わってくる中で、一種の知識注入的に国家主義の意識を教え込もうとしても、無理がある。『自ら学び、自ら考える』力の育成をめざしている文科省が、どういう意味で、イデオロギー的に国家の求心力を復活させることができるのか。たしかに、シンボリックな問題だから、日の丸や君が代が問題になるのだけれど、いくら学校の儀式でそれらを掲揚したり歌ったりしても、かつてのナショナリストたちが考えていたような国家意識や愛国心を注入できるわけではないですよ。『国民』としての自明性は補強できるだろうけど。

社会奉仕の義務化の議論にしても、奉仕というか、サービスの対象として、どんな公的な存在を考えるのかによって、単純に国家主義になるとは限らない。むしろ、国家という一機関の機能の変更もあわせて考えながら、公共性と共同体性の問題を教育の議論の中で詰めていかなければならない。市民社会の判断力が行使できる形での国家の限定的な機能ということです。昔ながらの枠組みにとらわれていると、アンチ国家の立場から、どうやって現実的な公共性をつくり出せるのか。安易な国家主義が危険きわまりないことも確かだけれど、その対極が安易な個人主義になってしまえば、公共性の問題は棚上げされたままになる。同調主義的な色合いの濃い日本社会の共同体性を変えていきながら、同時に、素朴すぎる個人の称揚にならないようにする。その中で、どうやって、個人の自立をはかりながら、個人のパブリックなものへの関わりをつくり出し、パブリックなものの機能をどうコントロールしていくか。国家という機関の機能を、統制可能なものと考えるかどうかで、それへの教育の関わり方も変わってくるのです。教育というのは、結局、国家の機能を良識的にコントロールできる市民をどうやって公教育を通じてつくり出すかに関わっているのだから、誰もが自動的に『強い市民』になれるというのもナンセンスだし、誰もが簡単に『安易な国家主義者』になってしまうと考えるのもナンセンス。そういう論争がどんなにずれているのかということをいったん示したうえで、本当に今の日本の中で教育に毎年二五兆円も使っている税金の使い方にこだわるほうが良いのではないでしょうか。これだけのお金を使って日本人はいったいどういうパブリックなるものと、それを支える個人をつくり出しているのか。日本人が公的なものにどう貢献するのか、それが自分の幸福なり満足なりにつながっていくのかということを考えるという、具体的なビジョンを出すことです。国家の機能や役割を、公開された情報をもとに良識的にコントロールできる個人をできるだけたくさんつくり出すことが、まずは公教育の役割でしょうからね。民主主義って、そういうことでしょう」

教育界の動き――2001年

1月	苅谷『中央公論』に「時評2001」を連載（一月号〜八月号）。
1月5日	『読売新聞』が朝刊の一面トップで「『ゆとり教育』抜本見直し」を報ずる。
3月	中公新書ラクレから『論争・学力崩壊』と『論争・中流崩壊』が出版。苅谷の論考は両書に掲載されている。
3月〜7月	西村和雄編の『教育が危ない』の三巻シリーズ（日本経済新聞社）を刊行。「グローバル市場競争時代における教育・人材育成のあり方」研究委員会での研究がもとになっている。
4月	小泉純一郎内閣が誕生。文部科学省の大臣に遠山敦子就任。 **改正された地方教育行政法が施行される。** 小中学校の教科書検定、歴史教科書問題。 『21世紀のマニフェスト』（岩波書店）出版。佐藤学・苅谷・池上岳彦の共同執筆「教育改革の処方箋」も収録される。
6月	大学改革案「遠山プラン」の発表。

夏	ようやく、従来の「左」「進歩派」の勢力が反撃を開始。「国民教育文化総合研究所」が編集した『教育と文化』夏季号の特集「学力低下論争を乗りこえる」。日教組と「国民教育文化総合研究所」は秋に「『学力低下』問題研究委員会」（委員長・長尾彰夫。大阪教育大）を設置し、報告書を出す。この報告書と同委員会メンバーの主張は『「学力低下」批判』（アドバンテージサーバー）として2002年に出版。 岩川直樹（埼玉大学教育学部）と汐見稔幸（東京大学大学院教育学研究科）の編集による『「学力」を問う』（草土文化）。 一方、国立教育政策研究所のメンバーが中心の『学力低下論批判』（黎明書房）。個性化教育をリードしてきた加藤幸次（上智大学文学部）と高浦勝義（国立教育政策研究所）の編集。
7月	苅谷『階層化日本と教育危機』（有信堂高文社）刊行。
12月	苅谷グループの「現地リポート　県教委は『生きる力』をこう読み替えた」（『論座』2002年1月号）。「上から」の改革、つまり文科省から各地の教育委員会への上意下達のシステムの問題を取り上げている。

5 二〇〇二年、新指導要領実施と「確かな学力」

地方からの改革は可能か

――遠山文部科学大臣が二〇〇二年一月十七日に緊急アピール「学びのすすめ」を発信し、「確かな学力」「学力向上」を強く謳いました。四月には新指導要領が実施されました。「遠山さんが言い出したアピール『学びのすすめ』の中の『確かな学力』というのは、それまでの審議会などにはなかった言葉ですよね。二〇〇二年一月までに出た中教審答申のどこを探しても出てきませんよ。でも『確かな学力』と言われたら反論はしにくい。内容が不明な『生きる力』に比べ、何かあるようで、しかも文科省の決意のようなものも込められている。『生きる力』というキャッチフレーズは、抽象的だとか、曖昧だとか批判が出てきたけれど、『確かな学力』って言われたら、そこには基礎基本の徹底も含まれるわけだし、少なくとも批判をかわすという意味では非常にうまいフレーズでした。しかも、宿題を出して家庭学習を指導するとか、放課後の補習の充実とか、朝の読書指導とか、具体的に指導法にも触れていた。それ以前にも文部事務次官がゆとりが『ゆるみ』になってはいけないと言っていたけれど、明確な方針転換だとは言わないまでも、基礎基本の徹底ということに重点を置いたアピールであったことは確かです。

その意味で、あの時点では、私としては、ひとつの反省作用として、そのまま四月を迎えるよりは良いと思いました。少なくとも流れの中で、九九年に問題提起をした時の問題意識をある程度文科省も真摯に受け止め始めたという印象を持ったからです。文科省は明確には言わないけれど、実際の運用の段階でスタンスを変えてきたことは疑う余地はない。

ところが、その後の動きを見ていると、未だに文科省ははっきりとした方針転換を打ち出せないでいる。つまり、『確かな学力』とは言い始めているけれど、いったいそれは今までの政策のどこに問題があって、なぜギアシフトをしたのかということは言わない。要するに、学習指導要領には基礎基本の徹底ということがこれまでも書いてあったのだから、そこをとらえて、『今までだって言ってきた。文科省は一切変わっていない』という図式を守ったまま、『確かな学力』と言い出したから、教育現場から『あれっ、ゆとり教育はどこへいったんだ。それを進めてきた文科省は何だったのか』というようにとらえられた。国立政策研究所が公立中学校の管理職と教員を対象にやった調査によれば、九七％の教師が、『もっと中学校の教育現場の現実をふまえた教育改革にしてほしい』と答えたと言うし、『教育改革のペースが速すぎてじっくりと取り組む余裕をなくしている』についても、八七%が肯定している、ということです。自由記述にも、改革は『机上の空論』だとか、『方針のぶれが大きい』といった批判が寄せられていた。こういう調査に表れているように、今度は政策や中央行政に対する不信感のようなものが学校現場から上がってきてしまったわけですね。

つまり、行政の対応が猫の目とか言われたりして、『こっちだと思っていたら、つぎにはあっちに行け』と。はしごを外されたよ』という声も多い」

――とにかく政策転換したんだったら、どこがどう間違っていたのかをきちっと認める。

「それは、当然のことなんだけれど、官僚の体質からそれは言えない。でも、それをまず言わないと、現場との乖離は広がるばかり。つまり、ねじれがねじれを呼んだ時に、政策の議論をしているテーブルの上ではいっこうに今までの議論の構図が変わらないままだということになっている。それで、だれもが改革論議がねじれていることがわかってしまった。その意味では、文科省は裸の王様状態ですよ」

――ただ、今、あらゆるところにねじれが生じていながら、それをきちっとした形でトップや責任者が認めることがありません。そのまま、ずるずると動いていっている……。

「でも、ねじれを放置したまま、不信感ばかりが募れば、教育改革を論じる際の原則が崩されていく。何を信頼して論じていけばいいのか。文科省の言うことは本当に建前やその場しのぎの言い訳にすぎないということになるのか。言葉の信頼性の問題に関係するんですよ。だから、よりを一回戻さない限りは、テーブルの上に乗っている議論のイシュー自体が、ゆがめられたまま論じられ続けてしまう。そして、それが現場に降りてきても信頼されない。こうなると改革自体うまくいくはずがない。これは、とても不幸なことですよ」

――しかし行政はそれを絶対にしないな。これまでは絶対にやらなかった。

「でも、それをやらなかったらどうなるかを、本当にわかっているのか、ということですよ。覚悟してどこかで反省を表明しない限り、改革の議論のねじれはますますひどくなります」

――私は行政の役人はそれはやらないと思うんですけれど、それをやらないことによって今回非常に混乱しましたよ。地方の教育委員会と文科省の間が非常にぎくしゃくしたし、地方の教育委員会は教育委員会で現場から突き上げられるし。これまでの教育委員会は上だけ見ていれば良かった。突き上げられることもなく。しかし、上は頼りにならない。下からは突き上げられる。こうなってくると、地方も本腰を入れて改革に取り組まざるを得なくなる。そういう逆説的な意味で、地方の主体性がかえって確立され、地に足のついた教育改革が進められるのではないでしょうか。結果論ですがね……。

「たしかに、そういう冷めた目を私自身も共有していて、いろんなところで言っています。国への幻想がこれだけ崩れたのだから、地方が自立しなければいけないって。そこは同じで、だから、今度は地方をサポートして、地方からの教育改革を立ち上げようという、先ほど話した研究をやってるわけです。

ただ、やはり、情報公開と政策評価と『自己責任』の時代に、文科省がこれまでの政策に自ら問題なしとして封印してしまうのは、将来を考えるとまずい。開かれた行政をめざすのであれば、やはり政策評価の結果として、問題点を堂々と明らかにすべき時代ですよね。今までのような、上意下達の時代ではないことは文科省自身がよく知っているわけだから。それに、未だに仕組みとしては中央教育審議会というのがあって、そこで政策決定するという仕組みは残っている。

中央は頼れない、だから地方しかない、と私も思っているんだけれど、本当に地方にそれだけの力量があって、リソースもあるかというと、まだ残念ながらすぐにはそこにもいけない。そこに至るつなぎが当分の間必要ですね。もちろん、いくつかの地域では興味深い改革が始まっていますが。そうすると、ある程度、文科省もそれまでの政策にどんな問題点があったのかを反省して、さまざまな地方の実践成果をつなぐネットワーク役となったり、情報提供したりという形で、地方への支援をやりながら、地方分権に向けて進んでいかないと、それほどすんなりとはいかないですよ。

ただ、まずいのは、そうこう躊躇している間に、他の省庁や首相官邸から文科省バッシングが始まって、今度の大学のＣＯＥ、トップ三〇（センター・オブ・エクセレンス。世界最高水準の研究づくりをめざし、分野別に国公私三〇大学を選んで予算を重点配分する。選定は文科省の外部に審査委員会を設置し、行う）や構造改革特区での株式会社による学校設置もそうだけれど、文科省を飛び越えて、市場原理の改革に直につながる可能性が出てきている。これはこれで、私は、何もやらないよりはましなところもあると思っているから全部を否定するわけではないけれど、それによって原則とか原理が崩れてきたときに、どこで教育の公共性を支えるか。地方から改革の芽が育ってくる見通しが十分にないまま、文科省が一方的に後退してしまうと、公教育としては問題ですよ。

当分は、そういうところの争いが続くのだと思う。政治を巻き込んだ争いでもある。そこにまた『愛国心』などが絡んでいるわけです。そういう意味では、『新保守主義』の『市場原理』が国家主義や個性主義と奇妙に連合しながら改革が進んでいく。現状が、どういう原理で切り崩されていくのかが読みにくい状況です」

最大のポイントは財政

――『論座』六月号と七月号に、苅谷さんたちの学力調査結果とその分析を発表されました。それがまとまって十月に岩波のブックレット『「学力低下」の実態』として出版されます。その一方で、十二月に文科省の全国学力調査結果が出ました。

「まず大きいのは、私たちの調査の結果が、実際に階層格差というものが存在していて、しかも単なるペーパーテストだけではなく、いわゆる新学力観的な学習活動への関わりにおいても明確な差があることを示したことです。小学生時代に新学力観的な学習を多く受けていた生徒ほど中学校で数学の正答率が低くなるという結果も出てきた。『総合学習』なども、しっかり準備ができていればいいけれど、中途半端な『総合』を受けてきて、基礎がしっかり身に付いていないまま中学になると、教科学習の壁にぶつかってしまう。その結果、授業についていけなくなる。小学校時代の成績や、中学校での授業の理解度によって、中学校での新学力観型授業への関与に違いが出ることも明らかになりました。

しかし、その公表の仕方には注意したつもりです。単純な結果だけ発表してしまうと商業的にも、政治的に利用されたりするからです。もっとも、私にとっては論争の次のステップとして位置づけていた階層化の問題を実証するという意味では、あのデータが初めてだったから、できるだけ広く知ってもらおうと考えて、雑誌で報告した後に本にしたのですが」

――今、教育の地方自治についてはどういうふうにお考えになっていますか？

「文科省は失敗を認めないまま『確かな学力』と言い始めている。今度は振り子が逆に戻ろうとしている。その中で、では教育改革はどこに向かえばいいのか、という問題に対して、どこに答えがあるのかと言えば、先ほども言いましたけれど、答えは多様でいいのです。ただし、多様でいいけど、空論では困る。どこかで実践されている答えでないと現実味が薄い。それをどうやって掬い出すかが次のテーマなんですけれど、その時、私としては、学校単位や学級単位の問題としてではなく、教育委員会レベルの問題に注目したい。つまり、複数の学校を含んだ地方の教育システムとして、市町村くらいの単位でうまくいっている例を探し分析を加えていく。

『学校選択』でも良いし、少人数学級でも良い。とにかくそうやって、なんらかの改革をやっている地方の教育システムを対象に、何が改革を可能にしているのか、何がネックなのかを探っていく。これだけのことをやれば、ここがこう変わった、ということについての政策評価を、分析という付加価値を加えて明らかにすることで、他の地域にとっても参考になるモデル化ができないかということです。

つまり、当事者による実践報告ではなくて、研究者という第三者の視点を経たモデルづくりを複数の地域でやる。こういう研究を若い人たちとやっているところです。

どういう条件の下で、何が組み合わさった時に、そういう仕組みができているのか。それは教育委員会と学校現場の関係だとか、あるいは父母とか地域とか、首長のリーダーシップと議会と教育委員会の関係だとか、どういう組み合わせで何が整っているとできて、何が欠けているとうまくいかないのか。また、それに対して文科省のバックアップはどうなのか、制約は何なのかとか。

今のところの研究では、どうやら、市町村にとっては、県が足かせになっているケースもある。文科省の規制より、県による自己規制のほうが影響があったりする。こういうことを分析というフィルターを通して明らかにすることで、他の地域の参考になるような情報を提供したいのです」

——東大にはそういう実地のフィールドをやっている先生方がずいぶんいますよね。佐藤学さんもそうだろうし、教育行政の小川正人さんとか。

「一緒にやっていますよ。二〇〇二年度から東大教育学研究科はCOEの助成をもらえることになった。そのテーマが基礎学力の形成。その予算で先ほど言った研究を広げつつある。佐藤さんは学校というところを拠点に、小川さんは教育委員会を対象に行政学の視点から研究している。私の場合は、社会学の視点から、行政と学校とのやりとりや、そこにどういう意識が介在するかなど、インタビュー調査とフィールドワークを中心にやっています。

それぞれの長所を生かしあえればいいのです。私の場合、小川さんのような教育行政学や財政学の知識はないから、そこは勉強しながら、地方教育行財政の社会学的な研究ができればいいと思っています。ちょうど『論座』でX県のケースについて書いたような研究ですね

（『県教委は〔生きる力〕をこう読み替えた』）。ああいう研究は、日本の教育行政学ではあまりやられていなかったようですね。教育財政の知識社会学的研究もできないかなと思っています。

階層と教育の研究も、同僚の志水宏吉さんやお茶の水女子大学の耳塚寛明さんたちと一緒にやっています。研究の輪がだんだん広がってきました」

――苅谷さんが温めている今後のテーマはなんでしょうか。

「これはやれるかどうかわからないけれど、先ほども言った財政のことを勉強しようと思っています。仕組みというよりは財政構造の前提、地方教育財政の知識社会学的分析です。いろいろ補助金を出すにあたっては、社会が納得する理由づけが必要ですよね。それは必ず、ある知識を基盤にしているはずです。その根拠を、知識の前提を問うことによって分析する。そこにメスを入れないと、地方の教育財政も変わらないのではないかという予想をもとにした研究です。税金の使い方について国民が納得できるような公的なルールがどうやってつくられ、どうやって人びとに説明され、受け入れられているのか。財政の仕組みの中に論理として組み込まれている知識や『常識』を社会学的に解明する。これはどこまでできるか専門的にはわかりませんけれどね。だけど、結局、政策を変えようと思ったら財政が最終的なポイントかなという気がしているんですよ」

教育界の動き——2002年

1月17日	遠山敦子文部科学大臣が緊急アピール「学びのすすめ」を発信。
1月	苅谷『教育改革の幻想』（ちくま新書）刊行。
1月、2月	文科省の全国学力・学習意欲調査を全国の小中学校（国公私立）で実施。
4月	**新学習指導要領が実施される。** 小中学校では、全国八〇五校程度の「学力向上フロンティアスクール」、高校では、「スーパー・サイエンス・ハイスクール」（二六校）、「スーパー・イングリッシュ・ランゲージ・ハイスクール」（一八校）が活動開始。
夏	絶対評価が問題化。「従来の評価が通用しなくなる」と東京の私学協会では独自テスト導入を検討。 苅谷グループの学力調査結果とその分析が『論座』6月号・7月号で発表される。同報告は10月に岩波のブックレット『調査報告・「学力低下」の実態』として出版。
秋	文科省の教師用「参考資料（手引き）」が出そろう。

	教育特区の議論が盛んに。
9月	平成14年度「21世紀COEプログラム」審査結果発表。東京大学大学院教育学研究科の「基礎学力育成システムの再構築」が審査通過。
10月	耳塚寛明（お茶の水女子大）グループの学力調査結果とその分析が『論座』11月号で発表される。 日本商工会議所が「教育のあり方について」の提言。
11月、12月	文科省の全国学力調査を全国の高校（国公私立）で三年生を対象に実施。
11月	中教審中間報告で教育基本法見直し案（家庭、公共、愛国心）が盛り込まれ、国会審議に。
12月	経済協力開発機構（OECD）初の学力調査結果公表。
12月13日	文科省が全国学力・学習意欲調査（小中学生対象分）結果公表。

教育界の動き　2003年

1月	トヨタ自動車、JR東海、中部電力の三社が中高一貫の私立校設立を決定。

6　日本のカウントダウン

どういう不平等社会なら幸せか

——一応論争の四年間を時系列に従って振り返っていただきましたが、ここでまとめとして、いくつかの質問をさせてください。

昨今の論壇誌では階層化反対論とエリート教育肯定派とに完全に二分されています。それぞれ拠って立つ根拠はあまり明白ではないような気がするんです。つまりこれは思想と思想の対立である以上、これを続ける限り、旧来の左右対立の図式のようにお互いに反目しあうだけの不幸な関係にならざるをえないように感じます。

苅谷さんはリアリストとして価値判断をしない研究者としてのスタイルを貫いているわけですが、何を根拠として「社会の階層化」を論じていらっしゃるのでしょうか。

「私の予測では、今のままだと、現在の日本の子どもが大人になった時代は、さまざまな面できつい社会になると思っているんですよ。経済の先行きはわからないとしても、少子高齢化による負担増や巨額な財政赤字を何とかするための負担増など、とくに若い世代にしわ寄せがいく。他方で、経済のグローバル化の影響で、産業の空洞化が進み、雇用の不安定さも増す。拡大していく所得や機会の格差に対して、公的なケアのできる余地はすごく限定されるようになるでしょう。ツケを回される若い世代が社会を支える年代になった時に、日本は厳しい時代を迎えるのです。

もちろん、日本では貧困といっても、餓死するほどの大きな問題にはならないかもしれないけれど、世代間での不平等の再生産は今まで以上に目立ってくる可能性がある。機会が制約されているという感覚や、それに伴う不自由さということが、あるカテゴリーの人たちの間で拡大するのではないか。それを、許容する原理というかルールというか、あるいはそれを正当化する論理とか理屈を私たちがつくってきたかというと、戦後の日本はつくってこなかった。階層化や不平等化の議論を避けたまま、『一億中流』意識でやってきたわけで、それがいま崩れつつあるのに、次なる社会のルールはまだ明確ではない。

もちろん、こうした階層化の進展は、避けられるのならなるべく避けたほうがいいのは当然だけれども、社会の不平等を受け入れるルールも抜きに、このまま一〇年、一五年経った時に、どんな変化が起こりうるのか。学力低下論争の時に、実証データも何もないまま進んでいたらどうなっていたかというＩＦと同じで、今、実態も知らされないまま、それに対応する議論もないままに不平等化が進むのと、実態が示され、それに基づく議論があって起こりうる変化とは違うのではないか。どちらにしたって相当厳しい状況が起こりうることを前提とした時には、実態把握に基づいた問題提起をしたほうが良いと考えています。

『不平等社会日本』を書いた佐藤俊樹氏は、『機会の平等というのは後からしかわからない』と言っています。これは名言だと思う。その通りなんですよ。だけど、機会となりうる資源の配分の過程は見えるわけで、教育はその重要な一部なのです。だから、今、教育で格差が拡大していって、かなり早い時期から子どもたちが、職業的な機会獲得の点で二極分化していき、しかもそこに親の年収や職業、学歴などの影響が反映されるようになると、どうなるか。こういう構造が、あと一世代、二世代回ったときに、日本の社会はどうなるかということを、戦後の日本人はまだ経験したことがない。ある程度社会が、経済的にも財政的にも余力があれば、その中でいろいろなケアができるから良いけれど、この問題を議論しないで、今の仕組みのままだと、こういう現象が顕著になってきた時には、問題解決のための資源が、十分ないかもしれない。とくに教育における格差の問題は、手遅れになる可能性がある。だけど、今ならばまだ、手の打ちようがある。仮に結果として不平等な状態が広がるにしても、そういう結果を個人が納得できるだけのことを公共的にやっているか、そういう納得できる手だてをどれだけ公的にやったうえで、そういう状態を受け入れるのか、ということです。ここまでしっかり公共的なことをやって、セーフティネットを張ったうえで、そこから先は自己責任だ、というのはある意味では受け入れざるをえない議論でしょう。ただ、その自己責任というところに行き着くまでに、とくに教育の問題だと、家庭環境の影響を強く受けている可能性のある子どもに、自分の責任だと言ってもそういうルールには反論がありうる。最低限の能力開発の機会は平等に保障されていないといけないとは思いますよ。それでも、それをどの程度やればいいのかとか、どこからは自己責任でいくのか、といった問題を、きちんと議論しないまま、結果的に不平等が拡大していくのはまずい。

こういう結果に対して、たとえば失業保険などの生活保障という形で、配分するお金をもっと増やしていけばよい、といった旧来型の福祉社会は将来的に維持できない。なんとか雇用につなげて、そのうえで自己責任を求めることは不可避と言ってよい。ただ、どうやって、どういう雇用機会と結びつけるかとなると、そこには社会のデザインとして選択の幅が相当ある。アメリカ流の競争社会と、ヨーロッパの大陸の国々のような競争社会では、自己責任を問うと言っても、そのやり方には違いがあるわけです。当然、教育の関わり方も違ってくる。そういうことをやる中で、今までとは違うスタイルで、教育による能力の保障と雇用機会や所得再配分のやり方などをどうするか。ある程度の不平等な状態を覚悟して、それを納得できるようなルールをつくり出せるのであれば、問題を隠したまま、階層化が進むよりはよっぽどよい。というか、階層化が進むことはある程度避けられない面もあるから、それを前提に社会の設計をしていかないといけないと思うのです。

『階層化日本と教育危機』の中で書いたけれど、何世代かすると、有利なものはより有利になるという傾向が強まっていく。戦後、そういう蓄積が四世代くらい回っていって、今その変化がだんだんとはっきりわかるようになってきた。もう一世代ぐらい回ると、かなり階層間の壁というか距離が広がり、一部のグループには機会の閉塞感のようなものが強く感じられるようになる可能性がある。その時の日本が、経済的にも財政的にも余裕があってハッピーだったらいいけれど、今のままだと、ますます困難な問題になっていくのではないかという予測がある」

——苅谷さんとしては階層化社会になってもいいわけですよね。良い悪いで言えばね。みんなが幸せでいられるような仕組みづくりがちゃんとあるならば。真正面から「階層社会で良いじゃないか。その代わりこういう社会でこういうシステムで、こうなんだ」という意見も出てきて良いし、どこがどう問題なのかを具体的に議論していきましょうということですね。

「論点にもならずに、後になって気づいたって遅いじゃないですか」

——エリート教育についてもまだ真正面から議論ができないでしょう。とにかく誰もしようとしないんですよね。そこで、苅谷さんが一人言い続けているという印象を受けます。

「たまに人に言われますよ、地雷を踏み続けてますねって（笑）」

――ただ現在の議論を見ていると、小・中学校の「学力向上フロンティアスクール」、高校の「スーパー・サイエンス・ハイスクール」（二〇校）、「スーパー・イングリッシュ・ランゲージ・ハイスクール」（二〇校）指定の動きは、議論がないままエリート教育を進める方向に流れているように思うんです。そのあたりはどうお考えですか。

「文科省が今までの問題を認めないまま、『確かな学力』と言ったのは、古い学力と新学力が対立していたところで、旧学力がエリート層で落ちることに対していろいろな勢力から学力低下批判が起こったことへの一種の対応だった。教える内容削減で、できる子の学習が頭打ちになる、といった批判に対しては、今おっしゃられた施策と『確かな学力』で十分応えたのでしょう。そうすれば、論争は終息しますよね。ただし、階層化の議論には乗ってこない」

――今の時点で、階層化ということを掲げているのは苅谷さんだけになったんですかね。

「でも、ほかにもこの問題に注目している人はいますよ」

――ただ最初は階層化のことを他の方々も言っていたから、その時点ではみんな一緒くたに見えていたんですよ。でも、四年の間にいろいろばらけてきたから。

「『階層化日本と教育危機』の最後に書いていますけれど、どういう不平等社会なら人びとが納得して、受け入れられるのか。それはルールと情報が明確でないといけないし、そのルールづくりに人びとが参加できないといけない。そのためには、どうやって不平等が生じているか、それがどういう格差を生んでいるか、さらに言えば、そういう格差を埋めるために社会がどれだけのことをやっているかといったことを理解したうえでの議論でなければならない。もちろん、教育だけでかたづく問題ではない。社会的に有利になる人たちばかりが、情報を持っていて、自分たちが有利になるような社会の仕組みにしてしまうのはまずいと思う。こういうことにも、できるだけ多くの人たちの基礎的な力を教育が保障しておくということが関係してくると思いますよ。

判断力というのは知識の基盤がなければできない。社会の仕組みについての知識というのは、民主主義の基盤ですよ。知識を遠ざける人たちを遠回しにつくっておいて、その時点で短期的に『楽しい学校生活』だから良いじゃないかと言っても、それは社会の存続にとってはマイナスですよ。中・長期的には不満や不安が高まる。社会的公平に対するルールづくりにどれだけの人びとが参加できるかが、やはり重要なのだと思う。

九〇年代の前半に、階層化についてこういう指摘をしても、ほとんど聞いてもらえなかった。不況になって、失業者が増えて『このままで大丈夫なのか』という気持ちになって、しかも、国が七〇〇兆円もの借金を抱えて、年金が破綻するとか、消費税を上げても消費が冷え込むだけで、財政が何とかなっても、経済はまた回らなくなるとか、雇用維持はなかなか難しいとか。そういう危機感が広がる中で、やっと聞いてもらえるようになった。

そういう中で、社会の仕組みを大きく変えなければいけない時に、誰にどういう形で資源を配分するのかが問題になる。公教育というのは、結局は資源の再配分のひとつの方法です。税金を使って、人びとの雇用能力を高めることにつながる教育を提供するのだから。先ほどから、お金とか、財源とか言っているのは、国民から集めたお金をどう使うかという仕組みの話をしているわけです。教育におけるお金の使い方というのは、結局資源の再配分の話なんですよ。そしてそれが、機会の配分につながるという話なのです」

なぜ東大の論者が多いのか

——この論争を外部から見ていると不思議なことがあります。論争に登場する教育研究者が東大に大きく偏っていることです。苅谷さん、佐藤学さん、市川伸一さん、藤田英典さん。みなそうです。これはいったい何なんでしょうか？

「みんなで相談して『これをやろう』って仕掛けたことはまったくない。それぞれ個人としてやっていたことで、まあ今でこそ、ＣＯＥが取れましたから、以前に比べて共同する部分が出てきましたが。逆にこれまでの個々の活動がアピールになってCOEを取れたという側面もあるのかもしれない。もちろん、取れた以上はそれだけの税金を使うわけだから、どうやって生かすかという話はしていますよ。互いの長所を生かしあおうと。ただ、発端としてはまったくそういう相談はなく、バラバラだった。

私が説明できるようなことかわからないけれど、ほとんどの人が利益団体からフリーだったというのが大きいのかもしれない。つまり、私なんかがいちばん典型だろうけれど、誰もバックに組織がついていない。

一方、地方の大学にいると、いろいろ教育委員会の仕事をしたりする機会も多いでしょう。仕事のスタイルがちょっと違うと思うんですよね。教育委員会や、他の教育関係の団体との距離が近いのではないかと思いますね。

それと、もうひとつは、東大の教育学研究科には、比較的、社会科学の立場から教育研究をする人が多いんですよ。

筑波大とか広島大とかは、もともと師範系だから、それともまた違う。もっと現場寄りというか……。教育研究のスタイルが大学によってけっこう違うのです。だから、今回のような論争に加わるとしたら旧帝大系になる。その中でも社会科学系が多いのは東大です。

それと、いちばん大きいのは、教育研究とか教育学なるものが行き詰まっていて、そのことに強い危機感を持っていた研究者が東大に多かったということもある。これは一世代上の話ですが」

――私は世間のイメージとはずいぶん東大は違うと思っています。官僚主義で保守的体質という世間のイメージとは違い、実は東大は最も現実に敏感で、改革にも意欲的です。どうも、最も危機感が強いのが東大になってしまう構造があるようです。それをどう考えるかは別にして、事実そうなっていると思うんです。その原因はどこにあるのでしょうか。

「それは私にはわからない。ほかと比べられないから。しかも、いろいろ難しい話ですよ。だって、結局、どんな研究者を呼んでくるのかという人事の話と関係してくるから。東大教育学部の場合、世間の印象と違って学閥の影響が非常に弱い。経歴を見ればわかりますよ。まず、東大出身者が少ない。若い頃に外国で研究した人、外国で学位を取った人が多い。この点では、他の大学の教育学部と比べダントツなはずですよ。それと、狭い意味での教育学の分野にこだわっていない。つまり、多様な人材を集めていることは間違いない。社会的な発言をしていくことへの抵抗感が少ないということもあるかもしれない。それに比べると、この論争では、教育学プロパーの発言は少なかった。マスコミが騒ぎ立てているだけで、まじめな教育学者が向き合う論争だとは見ていなかったのかもしれない」

――それ自体が奇怪な姿だけれど。

「その意味では、和田さんにしろ、西村さんにしろ、教育研究者以外の人を中心にした論争に見えたのではないですか。だから、教育学研究者の論争だとは思っていなかったのかもしれない。私も、彼らからは教育学者だと思われていませんから。私自身も思っていないけど……。

ある教育学者の方が、今回の論争の特徴は教育学者ではなくて教育社会学者がリードした、と。これはたぶん私のことを指しているんでしょうね。彼らから見たら、自分たちの論争だという意識はなかった。外で巻き起こった論争に見えた。だって学力論は、教育学の世界ではとうに終わっていたから」

――どういう意味でしょうか。

「学力とは何かをめぐる学力論争自体は、七〇年代に終わった、と言われている。藤岡・坂元論争（藤岡信勝・現東京大学教育学部教授、坂元忠芳・現東京都立大学名誉教授）というのがあります。七〇年代の後半の論争で、勝田守一（故人。東京大学名誉教授）まで戻って議論された。その時、学力論を議論する時には、とりあえず測定可能なものに限定すべきだという主張があり、一応、学力をどうとらえるかについて、つっこんだ論点が出そろった。この論争がピークだったという見方がある。もちろん、その後も、今の『関心・意欲・態度』につながる態度主義的な学力観とかが『新しい学力観』と装いを新たに看板だけすげ替えて出てくるけれど、主要な論点は、その時点で出尽くしていたと言われる。そこで一応論争は終わったんです。だから、学問的には、学力論は教育学研究の中では低調だった」

——ただ、そうした議論と、実際に低下しているかどうかという現状分析は違う話ですよね。

「もともと、教育学の世界での学力論争は、学力をどうとらえるかをめぐるものだった。ペーパーテストの点数に表れる学力を云々する議論ではない。だから、実態がどうかという論争でもない。実態が問題となったのは、七〇年代の高校の『落ちこぼれ』問題の時が最後ですよ」

——教育について社会科学的な関心から研究する人が、東大には多かったが、他には少なかった。そういうアプローチは今回の論争参加者たちぐらいしかしていないということですね。

「ただ、調査をもとにこの問題に切り込んでいった教育研究者はそんなにたくさんいたわけではない。東大のほかの研究者も調査をもとに発言していたわけではないですよね。だから、私たちのグループくらいかな。東大の同僚の志水宏吉さんやお茶大の耳塚寛明さんたちがメンバーだった」

——調査というのもひとつだけれども、今の現状に対しての「発言をするんだ」というスタンス自体が稀少なのではないですか。

「それはどうなのかな。よくわからない」

――これまでは現状に対する発言ではないですよね。

「かつては、明確なイデオロギー対立があったから、文部省の政策に対し、批判することは、左翼的な、組合サイドに立つことを意味した。いわゆる『進歩的教育学者』の時代です。その頃の教育学者の発言は、そういう意味で、現実の問題に対応していた。一方の社会勢力の代弁者だったし、『労働者=国民』の味方だったわけだから。当時の教育運動では、『国民教育』運動、つまり国民全体の利益になるんだという論調があったけど、そういう立場を鮮明に打ち出して議論をしていた。

そこにはそれなりのリアリズムがあった、と思いますよ。ただ国民という時に、実際には国民の中にもいろいろカテゴリカルな違いがあるのに、ひとまずそれらを捨象して、問題を単純化してしまう傾向はあったのでしょうが。運動論的に言えば、支持者は多いほうがいいし、政策的には全体をカバーするほうがきれいだし。その時代においては、ひとつの現実と向き合っていたと思いますよ」

――まあ、わかりますよ。実際にその背景に東西冷戦があり、そういう構造の中でそれが行われていたから。でもそれは一〇年以上前に終わったんだから。

「それが先ほどの『教育研究（者）の危機』という話につながる。つまり、その後、教育研究が変わらなければいけなかったのに、あまり変わらなかった。東西の冷戦構造が終わって世の中の価値観が変わり、グローバル化の波が押し寄せてくれば、その中で教育を論じる論じ方が変わる。そのことに、薄々気づいていた教育研究者も多いはず。ただ、そこで言う『薄々の感じ方』が、ゆとり教育とか、『生きる力』『総合学習』といった、詰め込み教育や受験教育への批判として出てきた政策に対して、楽観視したまま応援団になっていく大多数のグループと、そこに乗り切れずに、『何か変だな』と思いながら見ていた、私たちのようなグループとに分かれていったのではないですか。もちろん、大多数はものも言わぬ、あまり元気のないサイレント・マジョリティだったけれど、彼らにしても、大勢は改革賛成に軸足を置いていた」

「新しい対立軸」の時代に

「私はある時からカウントダウンしていた。これは、半分は直感なんだけれど、もう一方では、いろいろな専門家の話に基づいていた。

七、八年前に、夏にアメリカに行った時、ワシントンでシンクタンクに勤めている大学時代の友人と久しぶりに会って夜通し話をした。その時、彼が『あと一〇年以内に何とかしないと、日本は危ない』と、経済や政治、国際情勢などの話を絡めて言ったのを覚えています。日本社会のカウントダウンの話だった。それからすでに七、八年経ってしまった。その時に彼とは、教育の議論ではなく、産業とか行政とか財政とか政治とかの話、要するに日本社会の仕組み自体のマクロ的変化の必要性について話をした。その頃はバブルがはじけた直後とはいえ、日本中がまだ夢からさめやらない頃ですよ。その時、カウントダウンが始まっているという同じ構図が、教育にも言えるのではないかと感じていたのです。

残念ながら、そうやって社会の問題に引きつけて教育を論じる人が、日本ではあまりにも少なかった。たぶん、私がアメリカで研究者としてのトレーニングを受けたということもあるんでしょうけどね。社会科学というものが果たす役割とは何かと考えた。ある問題に気が付いたからには、研究者としての関わり方があるはずだ、と。運動家でもないし、ましてや、教育実践のやり方を編み出せる実践家でもないんだから。社会の大きな変動をつかもうとする意識を持って、トレンド＝趨勢というよりも、もっと構造的な変化も含めて、日本の旧来の制度や社会のあり方の耐用年数が、あと何年ぐらいなのかを考えよう、という意識があったんですよね。

今も、カウントダウンは止まったわけではなくて、依然として続いている。教育について言えば、改革のほうはますますねじれてきて、複雑になっている。ところが、議論のほうは、むしろ、あれかこれかの単純な振り子のようになっている。あるいは、本来論じられるべきことがまだまだ論じられていない。そういう中で、教育改革や公教育への不信感が募り、閉塞感がみなぎる。でも、みんなあきらめてしまったら、それでおしまいじゃないですか。

ある時点までは、危機意識というのは必要だと思う。とくに教育改革の議論では、まさに振り子のように、一方からの強い風が吹くと一斉にそちらに振り子が振れていく時期が長かった。詰め込み、受験教育が批判されていた頃は、ともかく、その改善をめざす改革は諸手をあげて賛同を得た。楽観的すぎても、批判が出てこなかった。だから、問題提起をするわけですよね。『危機を煽っている』と批判されたこともありますが、ある意味では、意図的だった。危機の存在自体が認識されないというのが私の見方でしたから。それこそが危機的だった。だから、私自身は、煽動しているとはまったく思わなかったけれど、外から見たら何でこんなタイミングでこんなことを言うのか、という印象はあったでしょうね。それだけ、教育改革への賞賛一色だったから。だけど、私の中では時計は動いていたわけですよ。カウントダウンが進んでいた、止まらずにね。

議論の筋道が、四年前に比べれば少しは風通しがよくなっているにしても、まだまだ問題の本質には行き着いていない。あと何年かで財政が破綻して、ハイパーインフレが起きるかもしれない。経済学者でも財政学者でもないからわからないけれど、国民負担が相当きつくなるか、あるいは財政支出が相当窮屈になるか、そうなった時に、日本の公教育はどこまで人びとのセーフティネットたりうるものになっているのかは、今のところまだ不明ですよね。どういう危機が訪れるかということについて今、切実に考えています。財政や経済の問題ばかりでなく、少子高齢化だとか、民族紛争とか」

――苅谷さんが悲観論を煽っているという反発が、かなりあると思います。学力が低下している、低下していると言い続けましたし、しかも実証データでだめ押しをする。反発があるのは当然でしょう。

「ありましたね。ただ、私自身としては、日本社会がそういう実態を知り、それを引き受けてリアルな議論をする経験をくぐり抜けない限り、それまでのような楽観論や観念論では、現実からかけ離れた理想論のままで終わってしまう、という意識が強かった。だから、私がこだわったのはデータだったんですよ。今までの日本社会の仕組みが悪いにしても、それをどうスクラップアンドビルドするか。何かを壊すことが必要だとしても、それをやる時、現実をつぶさに見ない中途半端な楽観主義や観念論で壊していったら、たとえ従来とは違う理想が出てきているように見えても、結局は、単なる破壊に終わってしまう。今の論じ方がそのままであれば。

だから、政策評価とか、アカウンタビリティ(税金投入に見合った政策だったかどうかの説明責任）とか、しつこく言ってきた。結局、そういう仕組みにまで教育の論じ方が変わらない限り、教育の観念論は終焉を迎えないわけです。それが、どうやら、少しずつだけど違う論じ方が出てきた。政策評価の議論も少しだけど社会で通用するようになってきた。教育の世界では、数値による政策評価というのは本当に長い間タブーだったから、そう考えると相当な変化とも言える。しかも、それぞれの地域で多様な教育改革の芽が出始めている。うまくフィードバックを組み込むような改革に育っていけば、これは希望につながると思っている。

でも、そこに行き着くためには、私から見るとまだまだいくつものハードルが目の前にある。階層化だって、やっと人びとの目に触れるような議論になったのはこの一年くらいでしょう。

次は、分権化のテーマにどうやってうまくつなげていくか。これは財政の問題にも関係する。さらには、日本社会の同調主義的な共同体をどうやって変えていくのかという話にも関係する。つまり、行き着くところまで行くと、国家とは何かという話まで行くわけですよ。学校についても、国による施策を変えることで、言わゆる古いタイプの共同体をどこまで壊せるのかというと、これがなかなか壊れない。同調主義的な共同体を温存したまま、市場化という方向で個人化が進んだり、社会的公正と関わる教育の公共性が脆弱になったりする。

教員たちの集団主義的な文化の負の側面や、学校における生徒集団の同調主義を変えようと思っても、文化的な変容を求めるわけだから難しい。ところが、個性の尊重とか言うと、こういう同調主義を残したまま、『本当の自分こそが一番大事』といった自己の肥大化のようなことが起こる。市場化による規制緩和にしても、壊しやすい機構の部分しか変えられない。文化として染みついている部分まで壊そうと思うと大変なんですよね。下手すると、機構は壊れてしまって、何の変わりもないまま、相互監視するような共同体だけが残るということもあり得るわけですよ。教育改革は、日本の構造改革の一環だという意見があるけれど、実際にそれによって何が壊され、何が生き延びているのかを十分に見極めた議論にはなっていないような気がします。でも、これも悲観論ですかね」

――やっぱり、そういう受け止め方が反発のような形になって出ている面があると思うんですよね。苅谷さんは答えをわざと言わないじゃないですか。だからそこのところに対してイライラするような人たちがいるわけですよね。

「だって、率直に言って私は答えを持ってないですよ」

――でも、答えはほしいし。その答えというのも、よく知っているような図式に乗っかるようなわかりやすいものがありがたいということで。

「そういう権威もなければ、実践に根ざして教師たちにお墨付きを与えるような経験や知識を持っているわけでもない。それなのにそこまで踏み込んだら反則ですよ。専門性を逸脱する。だからそれは言わない。

ただ、評価の仕方についてのノウハウはあるから、それは提供します。だけどそれの価値判断はできません。プロセスについては自分たちでやってくださいとしか言えないですよね、私はその分野の専門家じゃないわけだから。

ただ本当に、今は閉塞感と絶望論が強まって、文科省バッシングが起きているから、これはこれで危ないですよ。結局これで誰が得するのか、といったら、行き当たりばったりの構造改革論者かもしれない。とくに教育については素人談義でもいろいろ言えるから。綱渡りみたいな感じがしていますよ」

――人びとの意識はなかなか変わりませんね。

「むずかしい。それが変わらないと、先ほど言った、公的なルールづくりのための議論もできないんですけれどね。私としては、『大衆教育社会のゆくえ』で、人びとの教育認識がどうつくられていくのか、現実の教育問題への人びとの見方にどうやって影響を及ぼすのか、さらには、それがどういう問題を隠蔽するようになるのかを、差別選別教育や学歴社会の認識を例に分析をしました。今回の学力低下論争もそれの応用という面がある。

だから、どうやって学力の見方を変えるかという時に、データで示そうとした。それから、新学力でも旧学力でもないとか、そういうことを言ったわけですよ」

――「現実に対する人々の見方みたいなものを決める」という点を説明してください。データを出すということだけではないですね。

「データを出すことでもあるけれど、それはいわゆる調査から出てくる数量的なデータではない。あの時には、人びとがどうしてこういう認識を形成するに至ったのかということを、歴史的な資料を使って丹念にたどったわけです。いろいろな要素があるんだけれど、『ある時、それらが重なり合った時に全然違うものになってしまった』という話です。ひとつ例をあげてもう少し具体的に言うと、昔から高校の職業科を差別するなんていけないと思っているんだけれど、一九六〇年代初頭の政府の経済政策の中で、『能力主義』が強調された。そういう政策に反対する考え方が、素朴な教育の差別意識と重なり合った。その時に、能力主義差別の意識が明確なものになった、という話です。たとえば、戦前だったら実業科と中学校、その間の差別意識みたいなものがずっとあった。そこに、知能検査を持ち込んで個人の能力を計ってそれに見合った教育や職業をあてがおう、みたいな六〇年代の政策の考え方が出てきて、両者が合わさった時に、日本的な能力主義的差別感が誕生した。つまり、それまでだったら、いちおう実業学校と中学校といったカテゴリーの違いがあって、そこで差別感を問題としていたのに、カテゴリーにかかわらず、個人間の小さな違いにまで、能力の差による差別の問題を持ち込もうとした。そうなると、一点差だって『違う』と言えば、それが差別につながる、そういう序列意識への強烈な忌避感を生むわけですよ。
その結果、カテゴリーによる把握ができなくなる。階層とつなげて議論する重要性も消えてしまう。こういう意識がどうやってできるのかを歴史資料を使いながら、そのプロセスというか、メカニズムを明らかにしたつもりです。詳しくは、『大衆教育社会のゆくえ』を読んでもらうとありがたい。
こういう考え方は、私は知識社会学と言っているけれど、社会学では社会的構築主義と言う人もいます。人びとが物事を認識することが、いかに社会的につくられているのかを明らかにする手法です。これはわれわれが社会とか世界とかを認識する時の、哲学でも何でもそうですけれど、当たり前のプロセスですよね。もう一人私がいたら、私自身のものを含めて学力論争の言説を相対化して、『これはどうやって構築され、何を隠蔽したのか』と分析できるわけですよ。問題の構築のされ方を」
――今度、『論争・学力崩壊2003』でやりますよ。（笑）
「今度は私は自分が登場人物だったからどうしようか……」
――今こうして、やっていらっしゃいますけどね。（笑）
「この手法は、政策とか改革論議について考える時の手法として、ある程度しっかりとした裏づけがあるなら有効だなと思いました。『教育改革の幻想』（ちくま新書、二〇〇二年）の中で、審議会の議事録を分析したのも、結局、議論の構図がどこにあって、その中で何が抜け落ちているかを示したかったのです。もちろんある部分は後知恵だから書けた。議論が出た後からだから、その構図を引き出すことができたわけです。議論の曖昧さを引き立たせるために、『同時代の中でも、実はこういう批判があった』ということを引き合いに出した。そういう対立軸を明確にすることによって、議論の構図が見えてくるじゃないですか。

寺脇さんとの対談も、実はその応用だったと言っていいのかもしれない。つまり、人びとの問題認識とか論じ方の構図というものをどうやって社会学的に明らかにするかということを通じて、もし『なんだ、教育改革というのも文科省も裸の王様じゃないか』とわかったら、『これはまずい』となる。そして『議論に何が欠けているか。どんな対立が隠されているか』というふうにして、議論自体が変わっていく。

後知恵も交えて言ったけれど、本当はそんなふうにきれいにいかないんですよね。人びとは、こっちだと思ったら、今度は、またその方向に簡単に飛びついてしまうから。『確かな学力』って言ったらまたそこに飛びつくわけでしょ。やっぱりそれはそうなりますよ。陰山英男さんの百マス計算も斎藤孝さんの『声に出して読みたい日本語』（草思社、二〇〇一年）もそうだけど、それまでのふわふわした教育改革のムードに問題があると言われた時に、具体的な手法を持ったもの、確かなものに対する一種の揺り戻しがくる。これは私が言っているリアリズムとはちょっと違うのだけれど、具体的で、何をすればはっきりしているという意味でのリアリズムが力を持つ。今ではそっちの流れですよ。こうやって問題が再構築されていく」

――『大衆教育社会のゆくえ』の時もずいぶん叩かれたのでしょうか。

「実はあれは、当初の予測とは違って、全然叩かれなかった。私は、肩すかしを食らいました。あの本を出した時のほうが、ずっと覚悟していましたから。

だから、世の中の受け止め方というのはわからないですね。ああいう形で、差別選別教育の問題を不平等とからめて論じた時に、能力主義的差別を批判してきた教育学者からさんざん叩かれるかと思ったら、ほとんど反応がなかったと言ってもよいくらいです。今から見れば階層化というのは大事なテーマだけれど、九五年の時点ではそんなに注目されたわけではない」

――学校や塾の関係者は、みな知っていたことですよ。知っていたけれども、これは言わないほうがいいということで言わないでいた。タブーだったのですね。それをあそこまではっきりと出したということに、驚いた人が多かったと思いますよ。

「あの本では、歴史と比較という二つのアプローチをとった。もちろん現在のことも多少書いたけれど、むしろ戦後の歴史と国際比較ですよ。歴史的手法と比較社会学の方法を使って、今ある私たちの教育認識の特徴を浮き彫りにするという戦略を採った。だから、直接利害という意味ではそんなに誰かを批判したということではなかったですからね」

――今回の論争は現在進行形の話ですからね。それにしても、こういう時代の変わり目に発言していくことは非常に難しいですね。

「何を言ったって予測ははずれる可能性はある。それに、私自身もそうなのかもしれないけれど、どうしたって自分の枠組みで理解したい人たちが多い。だから、どんなに八方美人のように言ったって、どこからかは叩かれる」

――ある意味、全部敵に回すことにもなりかねないでしょ。

「それでも言い続けたのは、データがあったから、ということですよね。これで、データがない立場でものを言っていたら、ここまで言い続けなかったと思います。この数年は、次に何を言うのかを考えて、そのために、次にはどんなデータが必要かとか、どこを対象に調査をするかとか、次の研究を計画していった。先を見て仕込むわけですよ。そうでないと、タイミングが合わないから。その時になってデータを集めるわけにいかないから。

だから、なぜ、二〇〇一年に学力調査が行われたかと言えば、九九年に準備を始めていたからできたわけです。二〇〇一年に急にやろうと思っても遅いですよ。なぜ二〇〇一年かと言えば、それは文科省が調査を二〇〇二年にやるからですよ。先取りしてやらない限りは、同じテーブルに乗っかってしまうわけですよ。調査の枠組みも文科省を意識して変えた。文科省の学力調査では明らかにならない重要な論点を込めようと意識した。同じテーブルに乗って議論していたら、調査の規模の点でも、広がりの点でも勝てるわけがない。そうやって、どういう論点が重要になるのかを見越しながら調査をやり、データを出す。それが私にとってのデータの意味でした」

——新しい図式のひとつとして、苅谷さんと佐藤さんが出した「新保守主義反対」とか「新自由主義反対」という図式に、従来型の左の人たちが、ぱっと乗っかってくることはないですか？

「批判もいろいろなところから来るんだけれど、賛同してくれる人も、いろいろな立場の人たちからありましたね」

——全方位から攻撃されて、全方位に引っ張られて。（笑）

「そうかもしれない。でも、何が問われているのかということに対して、いろんな人たちがそれぞれ自分たちの枠組みで理解する。それでも自分の持っているデータを出して、論点を理解してもらうことは重要だと考えたから、最初の頃はいろいろなところに出ていきましたよ。

だから、政治的な立場で色分けされると、私の位置づけは混乱するはずです」

——そういう意味では、従来の一枚岩だったものがすべて壊れつつあるという面もありますね。

「それはたまたま、今回の学力論争の中で、私がデータを出したり、教育の論じ方までさかのぼって教育改革を批判したりという、そういう言説への反応という現象に映し出される形で、世の中が見えるようになっただけ。私がやったわけではない。むしろ、いろいろな立場の人を巻き込み、しかも、従来の構図ではとらえきれない、それだけの論点だったということですかね。

階層化の問題だって、自由とか選択とかと平等の問題をどう考えるのか。横並びの同調主義的な共同体をどう変えていくのか。国と公共性の関係をどう論じるのか。結局今、そういうことが問われている。それらの論点が重なり合うところで出てくる問題に対しては、どうしたって避けて通れない。舞台周りは社会とか世界の変化であって、たまたま私が学力論争に関わって、そこで踊りを踊っていただけかもしれない。

ただね、私も〝希望〟を持っていますよ。『論争・学力崩壊』『論争・学力崩壊2003』のように、論争史を本にするということは、次の展望をそこから読みとってもらうしかないでしょ。そういう展望を、どれだけタブーのないオープンな議論を通じて描けるか、それが大切なわけですよ。
まさに、対立軸のずれだとかを理解したうえで、従来の構図では抜け落ちる問題に目を向けて、次に何をしなければいけないかを見ないといけないわけです。そういう意味では、二〇〇一年三月に刊行した『論争・学力崩壊』の時には、まだ、そこは突き抜けてなかったですよね。あの時点ではね。
だけど、『論争・学力崩壊２００３』では、ここからどう次につなげていかなければならないかという議論をしなければいけない時期に来ている。だから、『もう、学力論争は終わった』という段階にしなければいけないんですよ。『もう学力論争ではない』
——それを最後の言葉にしましょう。

（聞き手・中井浩一）

第二部　なぜ教育論争は不毛なのか　メディア篇

1　独立行政法人化報道に欠ける「そもそも論」

なぜ議論が盛り上がらないのか

有馬朗人前文部大臣（当時）がこのほど全国の国立大学長の前で、国立大学の「独立行政法人化（以下、独法化）」について文部省（当時）の考えを示した。各報道機関は、「文部省、独法化を容認」といったニュアンスで、このニュースを伝えた。国立大学の独法化については一九九九年四月の閣議決定で、「大学の自主性を尊重しつつ、大学改革の一環として検討し、二〇〇三年までに結論を得る」とされていた。その後、文部省内の検討を経て独法化反対から条件的賛成にシフトすべく、独立行政法人通則法のもとで、国立大学に適用可能な「特別措置等」を講じようという方針の転換が表明された。

しかし、その後の一連の報道を見ても、議論は沸騰せず、広く国民的な関心を集めているようには見えない。一般の大学関係者や学生、親たちのレベルにまで降り立った取材による報道もほとんどなく、投書欄などで取り上げられることも少ない。

国立大学の行く末は、日本の科学技術や学問・文化の発展、さらには教育機会の保障といった問題に大きな影響を及ぼしうる制度の大改革である。事の重大さに比べ、メディアの扱いは低調と言える。だが、議論が今ひとつ盛り上がらないのは、国民＝読者の関心の低さによるだけではない。むしろ、この問題の「そもそも論」が欠けていることが、議論の広がりを妨げているのではないか。

置き去りにされた本質論

先日、国立教育研究所の喜多村和之氏（当時）から、「法人格を持たない大学など、先進国の中では珍しい」という話を聞いた。ヨーロッパの国立大学はもちろんのこと、アメリカの州立大学も、主要な研究大学はかなり独立性の高い法人格を持っている。法治国家においては、法人格を持つことが大学の独立性にとって当然の、普通の状態なのだ。

この話を聞いて、目から鱗《うろこ》が落ちた。ちなみに、有馬前文相も前記の趣旨説明で同様の発言をしていたが、この点を拾い出し強調した報道はほとんどなかった。

では、なぜ目から鱗なのか。それは、法人格を持たずに大学の自治が維持・主張されてきた日本の国立大学のほうが、国際的に見れば異例であることに気づかされるからだ。

国立大学の独法化というと、公務員の定数削減や、文部行政における規制緩和の面から論じられることが多い。あるいは、「大学の自治」「学問の自由」を侵すことにならないかという危惧も指摘される。しかし、法人格を持たない国立大学は、法制上は、まさに文部省の行政組織の一端でしかない。歴史的な経緯や慣行にしたがって、そこに「大学の自治」を与えてきたのである。

もちろん、この歴史の重みは決して軽視されるべきではないし、どのような法人格となるか、といった中身の議論も重要である。にもかかわらず、法人格を持たないままの「大学の自治」が、そもそも大学のあり方としておかしくないのか、といった議論はついぞ聞かれない。極端な話、たとえば、文部省の一機関にすぎない各国立大学は、組織として、文部省＝政府を法的に訴えることができるのか。法人格を持たない大学の自治とは、極論すれば、大学が国家との関係において、法的に対等な立場には、立てないことを前提とした、「伝統」の上に乗った自治にとどまるのである。

このように見ると、独法化が大学の自治を侵すのではないかという議論の「ねじれ」に気づく。従来の伝統のうえで守るべき自治と、法人格を持ったうえでの自治との違いは、程度の差ではない。そもそも大学の自治と自己責任をどのような制度によって担保するかという本質的な問題に発展する違いを含んでいる。その点をあいまいにしたまま、法人化を「各論」レベルで議論しても、国立大学の行く末は見えてこない。主に税金でまかなう法人に、どれだけの権限と自由を与えるべきかという議論の出発点が定まらないからである。

大学に法人格は必要ないのか。どの大学がどのような法人格を得ることによって、国立大学はいかに変わりうるのか。NPO法では法人格の有無が団体の活動にとって重要だという認識があった。同様に、法人格の取得が、大学という組織をどのように変えうるのかという「そもそも論」に立ち返るべきではないか。通則法に対し、大学への「特別措置等」がどれだけ「特別」であるべきかの議論も、そこから始まると考えるのである。

（一九九九年十月十五日）

2　消費される「動機理解」の事件報道

根強い受験＝悪者論

子どもの関わる事件が起きると、まずは「教育問題」との疑いがかけられ、受験競争や学校の姿勢が問題視される。文京区音羽の幼児殺害事件をめぐる報道も、容疑者逮捕と同時に「お受験」が原因との見方が各紙の見出しを飾った。

こうした報道を誘った理由は、近隣での取材から得た「文教地区」「受験をめぐる親たちの摩擦」といった情報であった。事件の起きた地域の特徴から「動機」の推測が行われ「事件は『お受験』競争の最前線で」との見出しとなった。テレビのワイドショーは有名大付属幼稚園・小学校の「お受験」の実情を伝え、文部省や専門家の見解を紹介した。

少子化の影響を受け、大学受験がどんどん易しくなっている。こうした「受験競争緩和」の実態が、大学生の学力低下問題を通じて広く知られるようになった。その影響か、教育問題を論じる際にも、「受験競争の過熱」といった一面的見方を控える報道がやっと増えてきた。

ところが、それへの反動からか、今回の事件をめぐる報道では、より低年齢化した「お受験」の過熱ぶりを、幼児殺害といった痛ましい事件と結びつけることで批判する論調に、各メディアが一斉に乗った観がある。どっこい、受験教育批判は生きている。「お受験」のゆがみや過剰さが生んだ「事件」との見方は、根強い受験＝悪者論をバックに読者に受け入れられやすい「動機理解」の物語と記者の目には映ったのか。

一般性と特殊性

しかし、それもつかの間。「受験とは無関係」との証言が報道されると、各紙は別の「教育問題」を探し始めた。今度は、母親が抱える「子育て不安」である。お受験にかわって、「公園デビュー」「しつけ・発育競争」が「母親同士のつきあいの苦痛・ストレス」の原因になっているという解釈が登場。カウンセラーや家族問題の専門家が、子育ての難しさを解説する。それをバックに、読者の納得の得やすい新たな「動機理解」の物語が提供された。これは日々の流れの中での報道として仕方のないことかもしれない。

このような一連の報道の流れには、二つの前提が含まれている。第一に、犯行の動機を理解することが事件の理解につながるという前提。第二に、そうした動機に共感する人びとの広がりを示すことで、事件が特異なケースではなく、いつでもどこでも起こりうる「氷山の一角」であることを暗示できるという前提である。二つを合わせれば、ある事件の動機理解を通じて現代社会に広がる病理に迫れるはずだという、報道の姿勢が見えてくる。

「なるほど自分もそういう境遇に置かれたらそうしたかもしれない」——こうして、人びとの腑《ふ》に落ちる動機理解の物語を提供することで、問題の広がりを指摘できたかに見える。共感を寄せる読者の投書も、その証拠となる。

だが、この動機理解の物語は、そもそも読者の納得のいく題材《テーマ》をもとに書かれたものではなかったのか。その可能性が高ければ高いほど、読者の動機理解への共感とは裏腹に、同じような事件は多発しない。そうした共感がどれだけ広がりを持ちえようとも、動機理解と実際の行動との間には、大きな隔絶が残るからだ。その意味で、事件の本質は「氷山の一角」ではない。

事件にならない日常のささいな問題を、事件との近さを印象づけることによって、過剰に問題視することはないか。今回の報道で言えば、同一年齢のわずか一%程度の子どもにしか関わりのない「お受験」を社会全体の問題として過大視しなかったか。「パーフェクト・ペアレント」が規範と化した時代を背景に、子育て不安をさらに煽らなかったか。

子どもの事件が起きるたびに、教育問題への「常識的な」関連づけがなされる。事件から語りうることは何か。ケースから導き出せる共通の問題とは何か。動機の一般性と、事件につながる条件の特殊性とを厳密に区別することが重要だ。だが、事件の真相を探り出そうとする、そうした記者の努力にも増して、私たちが教育や子育ての問題をどのように語りうるかという議論の質が問われている。読者の好む「動機理解」の物語の質が、報道の質と相互に関係しあっているからだ。動機理解を報道し、その問題を広げて消費することの意味を考え直す時期にきている。

（一九九九年十二月二十四日）

3　入試を複眼的に検証せよ

「一年中入試」

今年（二〇〇〇年）の入試シーズンも終幕を迎えた。この時期、試験をめぐる新聞記事が目につく。大学の出題ミスを指摘したり、試験の不手際を報じたりする記事があった。試験の公平さをめぐる問題もあり、千葉の高校では校長裁量による「不明朗合格」が報道された。入試ではないけれど、歯科医師国家試験の問題漏えいも大きく取り上げられた。

人の一生を左右しかねない選抜試験では、不正が許されないことは言うまでもない。それはそうなのだが、そもそも試験という選抜方法には限界があることや、試験自体がどこまで有効なのかについても、複眼的に考える報道があってもいい。

その点、試験の公平さと有効性の問題を提起したのが、ある大手予備校が大学入試問題の作成を請け負うと発表したニュースだった。受験の専門家集団である予備校が、良問や悪問を研究してきた経験をふまえて、問題作成の委託を受けるという。

「受験生を教える予備校が入試問題もつくるのは妥当か」が問われた。「よみうり寸評」(『読売新聞』二〇〇〇年三月十日夕刊)は、「公正を疑われる火種など初めからないほうがいい。『李下《りか》に冠を正さず』とはどんな意味か」と、大学と予備校のけじめのなさにかみついた。

なるほど、試験を選抜の手段と見る限り、公平さが必要なのは当然だ。だが、その一方で少子化の大波を受ける今の大学では、かつて入試に与えられていた選抜の意味がどんどん軽くなっているのも事実なのである。もはや、入試は選抜のためより、入学後の教育に向けて入学までの学力を調べる意味しか持たなくなってきた。

このように、教育の面から入試問題を見ると、入試の有効性が論点になる。大学の出題能力はたしかに落ちている。出題ミスを報じる記事もその一端を示すのだろう。寸評子が嘆く通り、「大学はそこまで衰弱」している。まさか、大学人の能力が低下したからではない、と信じたい。むしろ、入試の複雑化という流れが背景にあることのほうが重大だと思う。

どの大学も、生き残りと、受験競争への批判を受け、受験機会を増やしたり、社会人入試やAO入試(面接と書類選考などによる選抜)、推薦入学などの入試を多様化したりし、入学者選抜の業務は増えるばかり。ある私大の先生いわく、「一年中入試をやっているようなもの」だ。加えて、国立大学では、独立行政法人化や外部評価の導入の動きがある。大学をめぐる状況の急変ぶりには、大学人に入試問題の改善や研究の暇を与えないほどの勢いがある。

教育のために有益な入試とは

しかも、大学人にとって入試を語ることは、一種のタブーである。どの選抜方法なら望ましい学生を選べるかを公表することさえままならない。受験競争批判を背に、いきおい、有効性に疑問のある選抜方法でも継続せざるを得ないことがある。

公平さを追求すれば、それだけ厳密な試験運営が求められる。評判が悪くなった「一点刻みの合否判定」は、公平さの要請にこたえるものだった。推薦入試やAO入試、論述式のペーパーテストは、主観的になり、おおざっぱな評価基準が入り込む。

たしかに、手続きの厳密さと評価の厳密さとは別物である。だからこそ、一点刻みのペーパーテストより、「人物評価」のほうが世論受けがよいのだろう。

だが、選抜の有効性を考えると、何が優れた方法か、という厳密さや公平さとは別の問題も残る。

日本の高校生が、アメリカや中国の生徒と比べて勉強しなくなったという調査結果が報道された。学校外でまったく勉強しない生徒は、中国で八%、米国でも一三%なのに、日本では四二％に達する。受験勉強に追われ「ゆとり」がないとされてきた日本の高校生は、国際的には、勉強しない部類に入るようになった。これは、一部の生徒を除き、受験が競争を引き起こさなくなった証拠である。

入試の議論では、「センター試験を資格化しよう」などの制度論になりやすい。そろそろ発想を変え、選抜方法の有効性をとらえ直したり、出題問題が持つ教育的な意味に目を向けてもいい。そのための研究を、専門家の養成を含め、大学の壁を越えて行うことが重要だ。教育をゆがめる受験競争という発想をカッコに入れ、教育のために有益な入試はどうしたらいいかという視点で、受験を眺め直してみてはどうだろうか。

（二〇〇〇年三月二十四日）

4　選挙報道に求められる具体的な教育政策

きれい事の公約はいらない

衆院選挙の投票日である。景気対策や福祉政策と並んで、教育政策も重要な争点に挙げられた。「二十一世紀の日本」を選ぶうえで、教育はたしかに最重要の課題である。とりわけ、青少年の育成をめぐる問題は、マスコミでも大きく取り上げられるような少年の事件が連続して関心を集めたことから、教育政策と関連づけられて争点のひとつとなった。

ところが、各紙を読む限り、教育問題について政党間の主張の違いを読み分けるのは難しい選挙戦だった。教育基本法への対応や少年法改正への構えの違いぐらいが目に付く程度で、少人数学級の実現や体験学習の導入などについては、具体策が十分伝わらず、スローガンを列挙して終わる場合が少なくなかった。

ましてや、二十一世紀の大学教育や科学技術に影響を及ぼす国立大の独立行政法人化問題や、新学習指導要領で始まる一層の「ゆとり教育」の問題に、どんな長所と短所があるのかについて、各党の考え方の違いなどが新聞からは読み取れなかった。文部省の官僚主導で策定され、実施が目前に迫っているこれらの政策を、各党がどのようにとらえているか。有権者にはその違いが伝わらないまま、重要な争点にもならずに、投票日を迎えることになった。

もちろん、報道の側だけに責任があるわけではない。そもそも教育問題については、政治家もきれい事の公約を並べて済ます傾向が強い。そうではなく、どうすれば実現できるかを論じてほしいのである。政策論争では国の制度や予算をめぐる具体的な施策の違いを争点にすべきだった。だが、どの党も偏差値教育批判といった紋切り型の問題把握ばかりが目についた。違いは、教育基本法の改正や教育勅語の精神の復活という問題くらいで、教育現場の感覚からかけ離れた、抽象的でレトロな「政治論争」に限られた。

明らかにしたい各党の政策立案能力

このような状況にあって目を引いたのは、『読売新聞』二〇〇〇年六月九日付の「公約を問う」で教育問題を取り上げた記事と、十日付朝刊の立候補予定者へのアンケートで教育改革をテーマに掲げた記事の二つである。

前者では、各党とも賛同する少人数学級の実現について、財源の問題にも触れて政党間の違いを示そうとした。後者では、立候補予定者に教育改革のどこに力点を置くかについて聞き、スローガンの比較だけでは見えにくい各党の教育問題の認識の違いを明らかにしようと努めた。

欲を言えば、国立大学の独立行政法人化や新学習指導要領の問題点、公立の中高一貫校や義務教育での学校選択の問題などにまで論点を広げ、具体的な改革項目について各党の違いに迫ってほしかった。

政策の立案をめぐって、官僚主導から政治主導へと言われる割には、教育問題に関する政治家や政党の主張は、抽象的な理想論や精神論に終わることが多い。もともと教育の議論は理想論や「べき論」になりやすく、それだけに、選挙になると、誰もが反対しにくい心地よいスローガンが、有権者の歓心を買う。その結果、改革の具体策は、ほとんど国民の審判を仰ぐ機会もないままに、文部省主導で実施に移されることになる。

だが、少人数学級の問題のように、どの党も選挙のたびに一様に提唱するのに一向に実現しないのは、財源や実施方法も含めた具体策を詰めないままのスローガンに終始し、「政策」にまで練り上げていないからだ。教育現場ではいま、学力低下が叫ばれる中で、基礎基本を重視しながら総合的な学習の時間への対応が迫られている。この難題に具体的にこたえる施策が示されなければ、どの党が勝とうと、行政を、特に財政当局を動かす力にならない。

私たち自身が、ステレオタイプの見方で教育問題を考えることをやめ、具体的な争点を見極めようとしない限り、選挙での教育論争の不毛は終わらないのだろう。
新聞に期待したのは、実現可能性までを視野に入れ、表面的なスローガンの陰に隠れた各党の政策立案能力の違いを読者にわかりやすく示すことだった。きれいな公約を比べるだけでは官主導の教育政策は変わらないし、政策の点検もままならないからだ。それだけに、新聞は、選挙が終わっても、残された教育の課題の広さと重さを教育現場に密着して報道し続けていってほしい。

（二〇〇〇年六月二十五日）

5　教育報道の日米比較

社会・経済政策と教育

この（二〇〇〇年）夏、留学先だったアメリカ中西部の大学街にしばらく滞在した。その地で、日本とアメリカのメディアに表れる教育の論じ方の違いを考えた。

アメリカは大統領選挙の年である。テレビでも新聞でも、候補者の舌戦が繰り広げられている。経済の好況を背景に、財政の黒字分をどこに振り向けるかが選挙のひとつの争点で、その振り向け先として教育が挙げられる。メディアを通じて、教育の重要性が強調されている。

例えば、民主党大会の応援演説では、「今後の政策で三つの重要な対象がある。第一に教育、第二に教育、そして第三に教育だ」と熱弁がふるわれた。ブレア英首相の有名なフレーズの借用だ。

『ビジネスウィーク』誌に掲載された世論調査でも、今回の選挙の争点として教育が一位に挙げられた。過去にはなかったことだ。

　これには理由がある。第一に、いまの経済繁栄を続けるうえで、優れた労働力を育てることが重要だとの認識が広まっているためだ。教育を通じて人びとの能力を高めることが経済の繁栄につながるという見方は、ほとんど疑いや抵抗もなく、メディアを通じて喧伝《けんでん》されている。

　第二に、社会の不平等を是正するうえでも、教育への期待が大きいことがある。教育を改善してチャンスを広げることは、人びとの能力を高めて雇用機会の平等化に結びつくとされる。ここでも、経済との関係の中で教育の重要性が指摘される。成熟社会アメリカでも、いまだに教育は、繁栄と成功、平等と民主主義の重要な手段として信頼されている。

　日本では、政治家もメディアも、教育をこれほどまでに経済との関係を前面に出して論じることはなく、いじめや不登校、少年事件といった問題と関連づける傾向が強い。アメリカでは教育が社会・経済政策の一環に位置づけられる。二〇人学級の実現という政策も、「優れた教育の提供が社会・経済政策に結びつく」という合意があるから、財政の投入に値すると見なされるのである。

　教育が社会や経済に与える利益に控え目で、精神的な問題に傾いてしまう日本と違うのはこの点だろう。

背景の多様性への目配り

他方、身近な教育記事に目を転じると、そこにも日米の違いがある。

アメリカの新聞では、二つ折りで厚さ五センチ以上にもなる日曜版が面白く、読みごたえがある。教育問題も、割かれる紙面の大きさが違う。一本の記事で一〜二ページにわたる場合も少なくない。しかも、内容は、日本で言えば雑誌の記事に近く、「物語」を基本にしている。

一例を挙げよう。シカゴでは、教育改革の結果、テストで学力が一定レベルに達しない生徒には、高校進学をさせず補習を受けさせることにした。再試験をして基準を上回るまでは、何年たっても進学はお預け。記事では、夏休みも返上で補習学校に通う生徒たちをリポートする。

中国系移民のリー君は、数学は高校三年レベルなのに、英語ができず、渋々補習にやってくる。人種問題も絡みいじめられる。アフリカ系のブレンダさんは、路上で友人が銃で撃たれ、なすすべもなく助けを求めて叫んだ体験が心の傷になって集中力を欠くようになっていた。

こんな彼らを含め、五人の若者の「夏物語・奮闘編」がつづられるのである。たっぷり紙面を使い、それぞれ背景の異なる生徒が、改革の影響をどのように受け、背景の違いによって、問題の表れ方や乗り越え方が違うことが描き出される。

こうした手法は、この記事に限らない。問題が形をなす背景の多様性への目配りが利いている。

あえて比較すれば、日本のメディアは、特異とも言える一つの事件を手がかりに、その背後に共通する問題を探ろうとするのに対し、アメリカのメディアには、日本の方法とは逆の視線を感じる。

アメリカでは、政策をめぐる報道では経済や雇用といったマクロな問題との関係がストレートに示され、個々の教育問題については、いくつもの物語を手がかりに、背景の多様性に目配りがされる。

もちろん、アメリカと日本では、社会も違うし、教育の問題の質も異なる。だが、ひょっとすると問題をとらえる視線の違いが大きな理由のひとつかもしれない。外に出てみると、問題をとらえる際の日本流の視線が気になるのである。

（二〇〇〇年八月二十七日）

第三部　なぜ教育論争は不毛なのか　行政・政治篇

1　「学習指導要領」の方針大転換

大島文相の「最低基準」発言

教育改革をめぐる議論がかまびすしい。なるほど、「奉仕活動の義務化」とか、「小中学校の学校選択の自由化」といった目新しい話題は、人びとの耳目を引く。

それに比べ、今後の議論の発展によっては、教育改革を考えるうえで重要な見解となるに違いないのに、「学習指導要領」（学校で教えるべき内容を定めている）をめぐる文部省（当時）の新たな方針の表明に対して、マスコミの反応は鈍かった。

教える内容の三割削減を決めた指導要領が「学力低下」をもたらすのではないかとの懸念に応えるため、教育改革についての大島理森文部大臣（当時）の意見が『産経新聞』（二〇〇〇年十月十一日朝刊）に掲載された。ほぼ同じ文章が、文部省の公式ホームページにも公開されている（http://www.monbu.go.jp/message/ohshima1.html）。そこに、次の一節がある。

「学習指導要領は、最低基準であり、理解の速い子には、より高度な内容を教えることも可能であることを明確にする。これまでもそうした建前ではあったが、現実には、全員一律の対応になっていた。このため、今回は、この趣旨を現場に徹底する。同時に、選択教科の拡大やいわゆる習熟度別学習指導など多様な指導方法を通じて子どもの個性や能力に応じた指導を進めていく」

つまりは、学習指導要領は最低基準（ミニマム・スタンダード）であり、しかも、これまで「建前」にすぎなかったその趣旨を、今度は「現場に徹底する」というのである。今までは、教える内容の「上限」を示すものとして運用されてきたことを思えば、これは、指導要領の大きな方針転換を意味する。

ところが、この見解の波紋は意外にも広がらなかった。わずかに『日本経済新聞』が連載「教育を問う」で、これに触れたにすぎない（二〇〇〇年十月三十日朝刊）。しかも、その記事によれば、各地の教育委員会が、その真意について直接文部省に問い合わせた形跡は見当たらなかったという。教員組合が反応したということも、ましてや国会で議論されたということも、寡聞にして知らない。

家永教科書裁判を思い起こすまでもなく、戦後の教育史において、学習指導要領は重要な争点であった。この裁判では、学習指導要領の法的拘束力をめぐって、教育を行う権利が国家の側か、国民の側にあるのかが厳しく争われた。また、国旗・国歌法制定のきっかけとなった「日の丸・君が代」問題にしても、学習指導要領を後ろ盾にした学校への「強制」がそもそもの発端であった。このように歴史認識や「日の丸・君が代」といったナショナリズムに関わる場合には、学習指導要領の性格が大きく取り上げられる。それに比べると、その根本的な解釈変更ともとれる今回の「最低基準」発言への反応の鈍さが、一層目立つのである。

教育行政の特異性

このように波紋の広がらなかった「事件」だが、その意味するところは大きい。しかも注目を集めないところから、私たちの教育問題の論じ方の限界や特徴が見えてくる。

第一に、これまで建前にすぎなかった最低基準という見解を、今度は本音で「現場に徹底」させようというのであれば、それでは教科書検定はどうなるのか。「より高度な内容」を含む教科書も合格となるのか。入試では、「より高度な内容」まで出題してよいのか。これら、指導要領の性格づけによって左右される問題がすぐに現れる。しかも、「より高度な内容」の解釈しだいでは、ナショナリズムに関わる問題にも発展しかねない。学習指導要領は、法的拘束力を持ちながらも運用や解釈によって、いかようにもその姿を変える余地が広がったとさえ言える。一昔前なら、日教組や教育学者がただちにその真意を質しただろう。

第二に、新指導要領の作成にあたった人びとに、今回からは盛り込まれる内容が最低基準であるという認識があったのかどうか。とくに、義務教育の場合には、最低基準と見なして教える内容を考えるのと、これまで同様、上限規定として考えるのとでは、そもそも発想が違うはずだ。最低基準の内容がきちんと学習されるかどうかも、すぐさま問題になる。それによって進級・進学の判定のしかたも変えようというのか。しかも、最低基準以上の「子どもの個性や能力に応じた指導を進めていく」のであれば、そのための条件整備にどれだけの財源をあてるのか。教育をめぐるさまざまな問題に関連する「方針転換」であるにもかかわらず、教育界の反応は鈍いままである。

国会でも「方針転換」を質す議論が行われた形跡はない。それももっともなことだ。なぜなら、指導要領の改訂は、文部省の省令によるものであり、国会の審議を受ける必要はないからだ。いや、議会の承認を経ないのは、指導要領だけではない。いくつかの地域で始まった小中学校の学校選択制も、大胆な改革の割には、通学区域を定めた規則の改正によって、地方議会の承認なしに実施できる。

このように、選挙による洗礼も住民投票も経ずに、大きく教育制度を改変する術が、文部省を始め教育行政当局の手にゆだねられている。これでは、国会でも地方議会でも、教育制度をいかに変えるべきかの具体的な議論が盛り上がるはずはない。この仕組みのもとでは、議員諸氏にしても、教育の行財政に精通する必要はないのである。先の『日本経済新聞』の報道でも、自民党文教族のある議員が、新指導要領での学習内容三割削減の事実を知らなかったというが、それでも族議員は務まる。具体的な制度や財政をめぐる議論より、人目を引く子どもの事件や教育の理想に関わる教育論が栄えるゆえんである。

行政当局にすべておまかせのこの仕組みは、戦後教育の遺物と言える。自民党と日教組のイデオロギー対立を背景に、教育の「政治的中立性」を守るためという理由から、議会の承認を取り付けることなく行政の判断で教育施策を実行できる仕組みが維持されてきた。しかし、この慣行が、教育の議論を偏ったものにしてきたことにそろそろ気づく時ではないだろうか。

精神論ばかりでいいのか

教育を改革するのに、まずは目標を定めるための「教育論」が必要なことは言うまでもない。次の社会の担い手を育てるのが教育の役割である以上、どのような未来社会を想定し、子どもたちを育成していくかを考えるのが、教育論の役目である。教育基本法の改正をめぐる動きも、そこに連なるのだろう。世をあげて、教育論ばかりが盛んになる。

ところが、高邁な教育論だけでは実際の教育は変わらない。それとは逆に、個々の子どもの事件や学校の問題ばかりを論じる現場密着の教育論でも、実際の教育を変えることは難しい。日本全体の教育の仕組みを変えるのが教育改革だとすれば、新しい理想の実現にしても、子どもの問題の解決にしても、そこで設定された目的を実現するための現実的な方法や具体的な仕組みについての議論、広い意味での「教育制度論」が欠かせないのである。しかし、今までの教育の議論は、理想ばかりを追いかけたり、現場の混乱を誘うだけの提案をしたり、事件ばかりを問題視する、制度論なき教育論に偏りすぎた嫌いがある。

教育の理想や個別の問題解決をめぐる議論は、熱気を帯びた教育論として広がりやすい。それに比べ、財源や人的・物的環境の制約を前提に、教育を変えていくための制度論を展開するには、なにより冷静な現状分析と、実行可能性を視野に入れた議論が求められる。個人の体験論や印象論、あるいは理想論だけでは、制度は有効に動かせないのである。

行政にすべておまかせの時代ならば、政治家や市民は高邁な教育論に興じ、それを実現する制度の設計と運用を行政当局にゆだねておけばよかった。政治家やマスコミ、さらには学者・評論家は、崇高な教育論を練り上げたり、文部省や日教組批判に精を出したり、子どもの事件をめぐって学校や教師を非難していれば、事足りた。あとは優秀な官僚が制度を設計してくれた。多少の不満が残っても、規則や財政のあんばいは、制度論のプロが大過なくやってくれていた（はず？）。

しかし、時代は大きく変わった。地方分権や情報公開の流れは、教育政策の決定においても住民の役割をこれまで以上に重要なものとする。しかも、度重なる不祥事や政策の失敗など、制度論のプロであるはずの官僚への信頼がゆらいでいる。教育の世界でも変わりはない。大臣自らがホームページ上で「文部省は、教育行政の成果について客観的な分析を行い、これに基づき説明責任を果たしていくという姿勢が十分ではない面があったことは事実である」と認めるくらいである。公教育の多くは税金で賄われている。納税者が行政をチェックするためにも、制度の議論を今まで以上に広げ、意思決定のプロセスに住民がもっと参加できることが求められる。

いい意味でも悪い意味でも、これまで日本の教育の枠組みとなってきた学習指導要領という制度の基本的性格が変わろうとしている。「最低基準」発言は、教育における中央統制を弱めていくという趣旨にも読める。文相の発言をきっかけに、「制度論」をにらんだ「戦後教育の見直し」が行われてほしい。精神論ばかりが先行する教育論議では、もはや立ちゆかないばかりか、危険ですらあるのだ。

（二〇〇〇年十二月十日発表）

2　教育改革国民会議を読み解く

従来の議論と違う点

二〇〇〇年末に、首相の私的諮問機関である教育改革国民会議の最終報告が発表された。議論の過程では、奉仕活動の義務化や教育基本法の改正、「問題を起こす子供」への対処など、今後の改革の指針となる考えが示された。それらを受けて、二〇〇一年一月から始まる国会を「教育改革国会」にするという声も聞こえてくる。あわせて、二〇〇二年からは学校週五日制と、それに見合った教育内容の三割削減を盛り込んだ新しい学習指導要領が本格的に実施されることになっている。

しかし、この間の動きはあまりに目まぐるしい。それというのも、一九八〇年代後半の臨時教育審議会の答申をもとに、「ゆとり」と「生きる力」「個性尊重」の教育改革の具体案が、九〇年代の中央教育審議会などを通じて出され、実施に移されてきたが、その〈総仕上げ〉が始まろうとする矢先に、国民会議からこれまでの流れとは趣を異にする改革案が出されたからである。国民会議の報告は、これまでの教育改革の流れを大きく変えることになるのかもしれない。あるいは、その提言は、政策の俎上に載る過程で、換骨奪胎され、これまでの路線に接ぎ木されることになるかもしれない。いずれにせよ、今後の教育改革の流れを読み取るためには、今までの改革論議と、国民会議のそれとの違いをおさえつつ、両者の問題点を指摘していく必要がある。

とは言うものの、最終報告の文面を読むだけでは、国民会議がめざす教育改革の構図を浮き彫りにすることは容易ではない。そこで、この最終報告を読み解くひとつの手がかりとなるのが、国民会議のメンバーの一人であり、現職の中学教師でもある河上亮一氏の『教育改革国民会議で何が論じられたか』(草思社)であり、さらには、ホームページで公開されている議事録(http://www1.kantei.go.jp/jp/kyouiku/)である。とくに後者は、文部省の審議会などとは異なり、発言した委員の実名入りで、議論の様子がリアルにわかるようになっている。

これらの資料を下敷きにすると、これまでの教育改革と、国民会議のめざす改革との違いが、明瞭に浮かび上がってくる。その違いを端的に表現すれば、「個人と公的なものとの関係のとり方の違い」に集約できるだろう。そして、その違いから、今後の教育改革の方向づけの変化とそれがはらむ問題点について、検討を加えることができるのである。

河上氏の著書や議事録から明らかになるのは、国民会議での審議を通じて、教育における「強制」や「押しつけ」の必要性を認めようとする見方が、議論のベースとしてかなりの程度共有されていたことである。この点が、「個性化」を目標に、押しつけや強制を悪と見なし、個人の興味・関心や主体性を主軸にしてきた、これまでの個人中心の教育改革との違いである。教育改革国民会議の発想は、言わば「強制」の担い手となる公的なものに教育の重心をシフトさせることで、個人と公的なものとのバランスや関係のとり方を、もう一度考え直そうというものであると言える。

実際に、最終報告書を見ても、「個性尊重」「子どもの興味・関心」「ゆとり」といった、これまでの教育改革のキーワードはまったく出てこない。一七の提案の中でもっとも関係のありそうな「個性を伸ばす教育システムを導入する」の部分でも、主眼は教育を一律に改めることに置かれ、これまでの「子ども中心主義」的な発想は大きく退いている。

むしろそこで強調されるのは、基礎的な知識の定着を強調し、そのうえで才能を発見し考える力を養う教育を行おうという考え方である。現在進行中の教育改革が、子ども自身が問題を発見することや、興味・関心、意欲をもとにした教育を基軸にしていることとは、明らかにトーンが異なる。そして、個人と公的なものとの関係のつけ方の違いが、「奉仕活動を全員が行うようにする」といった意見や、教育基本法改正の議論を始めようとするスタンスにも表れていると見ることができるのである。

「個性尊重」への反動

なるほど、これまで取り組まれてきた「ゆとり」と「個性尊重」の教育改革のもとで、多くの国民は教育がよくなったとは見ていないようだ。不登校生徒数や高校の中退者の数も、減少するどころか、かえって増える傾向さえある。それに輪をかけて、少年たちがさまざまな事件を起こすたびに、国民の多くは、子どもの育ち方・育て方のどこかに狂いが生じているのではないかという不安や疑問を抱く。学級崩壊の原因を、個性を尊重しすぎる教育に求める見方も、決して一部の人たちのものではないだろう。

このような時代の気分や「空気」を背景に、今までよりも公的なものに重点を置こうとする考え方が受け入れられやすくなっている。最終報告の発表直前まで強調されていた「奉仕活動を全員が行うようにする」という提案も、漠然と「今の子どもや若者たちは自分勝手でどこか変だ」と感じている大人たちにとっては、意外とすんなり受けとめられたのかもしれない。その一方で、この提案を奉仕活動の義務化として、そこに抵抗を感じる向きも強かった。河上氏が著書の中で言うように、押しつけや強制に対するアレルギーがいまだに根強いからである。

ところが、結果的に「義務化」のトーンは弱められた。反対論の強さに抗しきれなかったからだろう。それはそれとして評価できるのだが、議論が十分詰められる以前に矛を収めてしまったために、個人と公的なものとの関係への見通しについても、中途半端なままに終わる可能性が高い。

おそらく、義務化に抵抗を感じた人びとの多くは、ここで言う公的なものを「国家」と同一視し、奉仕活動の義務化が国家への「滅私奉公」につながるという懸念を持ったのだろう。当初は「満十八歳の国民すべてに一年間程度」の奉仕活動の義務づけも検討事項として提唱されていたが、その一歩先に、徴兵制のような国家による国民の動員という影がちらつき、「いつか来た道」を思い出してしまうのである。

しかしながら、はたして、義務づけの是非が、問題の本当の争点だったのだろうか。公的な力を背景にした「強制」の是非だけで、この問題を考えてしまってよかったのだろうか。「義務だから反対」だとか、「子どもの自分勝手なわがままを直すには全員参加も賛成だ」と単純に割り切る前に、少し別の視点から、この問題を考えてみる必要があった。

より重要な論題は、「義務づけられるか否か」ということよりも、「奉仕の対象となる公的なものを、どのようなものとしてとらえるか」「公的なものに対する個人の関わり方をどのように位置づけるか」という問題である。

国民会議の言葉を使えば、「与えられ、与えることの双方」の関係の中で、個人になにごとかを「与える」側の先に、どのような公的なものを想定し、「双方」の関係をどのようなものにしていくか、そういうことをより真剣に問う。そうすれば、今後の教育改革の方向についても、より建設的に検討することができると考えるのである。

小渕前首相（当時）の考え

奉仕の先にあるべき、公的なものと個人との関係をどのように考えるのか。この問題を検討するうえで手がかりとなるのは、実は、この教育改革国民会議を提唱した本人、小渕元首相による第一回会議冒頭での発言である。後にも先にも、この会議に小渕元首相が出席したのはこの時だけである。その席上、元首相は次のように言っている。

「これからは、個人が組織や集団の中に埋没する社会ではなく、個人が輝き、個人の力がみなぎってくるような社会に転換することが求められております。個人と公が従来の縦の関係ではなく、横の関係となり、両者の共同作業による『協治』の関係を築いていかなければならないと考えます」

「協治（ガバナンス）」とは、元首相のもうひとつの諮問機関であった「21世紀日本の構想」懇談会の報告に出てくる言葉であり、「お上」による個の支配ではなく、個人と公的機関

（政府など）との間にある、互いに負託し、負託される「ある種の契約的な緊張関係」を意味している。それをふまえて、さらにこの懇談会の報告書では、個人と公との新しい関係のあり方が提唱されている。小渕元首相の言う「従来の縦の関係ではなく、横の関係」であり、「個の自立」を通じて「新しい公」をつくり出そうという考え方である。

たとえば、地方自治にしても、「中央政府の権限を知事や市町村長に移管するという地方分権の発想ではなく、地域住民が地域の政府のあり方を自分で決められる仕組みをつくり出すこと」が提唱されている。さらには、NPOなどの非営利民間セクターの立ち上げを促すことで、個人と公的なものとの関わりを変えていこうといったようにである。

おそらく小渕元首相の頭の中には、個人と公的なものとのこうした新しい関係を築き上げるうえで、教育が重要な役割を果たすべきだという考えがあったのだろう。それが教育改革国民会議の発足につながり、そこへの期待として、先に引用した言葉を残したのではないか。

ここでは、「21世紀日本の構想」懇談会の考える個と公との新しい関係がどれだけ妥当なものであるかを検討する余地はない。しかし、個人と公的なものとの関係自体を組み替えることを念頭に、教育に不可欠な「強制」や「押しつけ」のあり方を考えることと、「従来の縦の関係」を暗黙の前提にして同じ問題を考えることでは、結論もやり方も違ってくるだろう。「従来の縦の関係」の発想から抜けられないまま、国家の力を背後に「押しつけ」をとらえるのか。それとも、たとえば「地域住民が地域の政府のあり方を自分で決められる仕組み」のもとでつくられる地方政府の力をバックに「押しつけ」を考えるのか。それによって、強制や押しつけの具体的な姿や、それに対する住民のチェックのしかたも違ってくるはずだ。

奉仕活動にしても、どのような公を担い手として考えるのか。国民会議の最終報告には「各学校の工夫によるものとする」との但し書きがつけられたというが、抵抗を感じる向きは、明らかに国家を主たる担い手として想定している。それに対し、先の意味での地方政府や、あるいは非営利民間セクターが担い手となって、多くの若者や子どもたちが何らかの奉仕活動に参加できるようにする、ということも考えられる。

これは、具体的な指導者をどのような組織に求めるかといった技術論を超えた問題と言える。つまり、奉仕を促す公的な主体をどこに設定するかという問題であり、さらに言えば、奉仕活動を通じて、個人が関係を持つ公的なものをどのような対象として考えるのかという、より本質的な問題でもある。「奉仕活動を全員が行う」ことを検討する過程で、公的なものを国家だけに一元的に収斂させない、別のルートで個人と公との結びつきを考えることも可能だったのである。

「義務だから反対」というのでは、あまりに単純すぎるし、他方、公的なものについて十分検討することなく、「奉仕活動を全員が行う」ことを急げば、それもまたリスクが大きい。

奉仕活動の導入という提案を受けて、個人と公的なものとの関係のあり方自体を問い直していくきっかけをつくり出していけばよいのである。

中央主導でいいのか

このように考えてくると、小渕元首相を引き継ぐという森喜朗首相（当時）の下で、教育改革国民会議が実質的な審議を続け、最終報告をまとめたということによって——あくまでも結果的にではあるが——暗黙のうちに議論の方向づけに変化が起きたと言えないだろうか。「21世紀日本の構想」懇談会報告と関連づけながら教育改革が議論された場合と、そうした関係を断ち、新しく誕生した森首相の下で「心の豊かな美しい国家」をつくるために教育改革について議論する場合とでは、たとえ自由闊達に議論されたにせよ、考えるうえでの暗黙の枠組みに変更が生じた可能性を否定できないのである。「心の豊かな美しい国家」という目標を掲げる森首相の諮問機関としての教育改革国民会議は、公的なもののあり方をめぐっては、それが最重要のテーマであったにもかかわらず、より平板なとらえ方を暗黙裡にしてしまったと考えられるのである。

公的なもののとらえ方の問題をここからさらに一歩進めると、誰が教育を改革するのかという問題にもつながってくる。中央教育審議会にせよ、教育改革国民会議にせよ、改革の議論を設定する主体は中央政府である。たびたび提唱される地域や学校の特色を生かした教育なども、中央からしか提案されない。

しかし、今回の報告をはじめ、これまでの教育改革案を見ていて思うのは、そろそろ中央からの改革という発想に限界があることに気づく必要がある、ということである。たしかに、画一的な教育が批判され、地域や学校に応じた多様な教育が求められている。だが、画一的なのは教育改革のやり方自体なのではないか。改革案を中央で立案し、実施は各地域に任せる、というのが実状である。そのため教育の多様化と言っても、全体の大枠は変えずに、各学校や地域はその枠内で細部を検討するというレベルにとどまっている。そうではなくて、改革の立案も実施もそれぞれの地域が主体になるというように、教育改革のやり方自体を多元化することが求められていると思う。

そう考えるのも、中央だけが唯一の改革案をつくり上げることは、失敗のリスクが大きすぎるからである。多様な地域で多様な教育改革が進行するほうが、それぞれの実状に見合った改革ができる。それだけではなく、立案者と実施者との距離も短縮され、改革も実りあるものになるだろう。多様な改革が実施されることで、成功例や失敗例から学ぶチャンスも増えてくる。中央の責務は、教育の最低基準を保証すること、地方がやりたい場合にやれるだけの法律や規則の緩和・整備と、最低基準を設定すること、さらには改革に必要な財源を準備することとくらいにとどめたらどうか。

教育改革国民会議ではなく、実施能力を与えられた教育改革県民会議や市民会議、町民会議や村民会議、あるいは教育改革NPO会議のようなものがほうぼうに誕生し、地域ごと、あるいは民間セクターごとに、自分たちの教育を変えていくための枠組みを用意するのである。

これは、改革の基軸となる考え方を地域や民間セクターごとに発想することができるように、教育の改革自体を中央から他のセクターに委譲することを意味する。したがって、たとえば、たとえ奉仕活動にしても、各学校の工夫というレベルではなく、各地域の実状に鑑みて、やるかやらないかという判断も含めて、各地域が決めればよい。

そうでもしないと、個性尊重から公的なものへと改革の比重が移ったとはいえ、河上氏が著書の中で言うように、上からおりてくる教育改革に向けた「指導」が、教育現場で拡大解釈されたり、ゆがめられたりするだろう。そうしたことは、ここでも避けられないだろう。

どちらが右か左かは別として、振り子の振れる向きを変えるだけでは、教育改革の実効は挙がらない。「中央」とか「国民会議」という発想から離れて、教育の改革のしかた自体を考え直すことが、現実的な改革を行う第一歩だと思うのである。

（二〇〇一年一月十日発表）

3　国会は教育を論じうるか

教育改革国会への不安

政府は、今次（二〇〇一年一月）通常国会を「教育改革国会」と位置づけ、教育改革国民会議の提案などをもとに、「21世紀教育新生プラン」を提出するという。

その中には、十七歳での大学入学を自由化する「大学入学年齢制限の緩和」、少人数による学級集団を可能にする「教職員定数の改善」「不適格教員の処遇」といった問題に対応するための法案などが含まれる予定である。さらには、森喜朗首相（当時）が意欲を示す「教育基本法改正」についても、中央教育審議会に諮問したとはいえ、今国会でも議論が展開されるだろう。

教育について国会が議論の場となることは、当然といえば当然だ。なぜなら教育は、国民の現在の生活に密接に関係するとともに、将来の日本社会のあり方を選択するという意味でも、重大な影響を持つからである。

だが、衆議院文教委員会のホームページ（http://www.shugiin.go.jp/itdb-main.nsf/html/kaigiroku/0007_f.htm）の会議録などを通じてこれまでの議論を見る限り、はたしてどこまで突っ込んだ論戦が展開されるのか。

官僚の答弁にまかせるのではなく、政治家主導の国会論戦が言われるなか、議員諸氏の議論にどれだけ期待できるのか。これまでの論戦を見る限り、率直なところ——国会議員諸先生には大変失礼だが——心もとない限りである。

「三〇人学級」に象徴されること

国会での教育論議にもの足りなさを感じるのは、そこでの教育の論じ方に三つの問題点があるからである。

ひとつは、システム論的な発想の欠如とでも呼べるものである。教育制度は、まさに教育「システム」として成り立っており、その一部を変えれば他に影響が出る。この点を頭に入れておかないと、せっかくの教育改革案も、思わざる結果を生みだしかねない。そうした問題点を事前に指摘し、国民の前に明らかにすることも、国会での議論の重要な役目である。

たとえば、今国会に提出された教職員定数改善計画について考えてみよう。基本教科について二〇人程度の集団で教えることをめざし、今年度から五年間で計二万二五〇〇人の定数増を図る計画である（はたしてこの程度の増員でそれが可能なのか。この点も国会で詳細を質してほしい）。このうち、小学校教員については八六〇〇人増（毎年一七二〇人増）が見込まれている。少人数学級を求める世論に応え、財政当局もこの程度の増員ならばと満額を認め、予算案に組み込まれた。文部科学省（以下、文科省）苦心の政策である。

なるほど、三〇人学級の実現には及ばないことから、「もっと多くを」と要求する政党はあるだろうが、この提案に反対の議論は起こりにくい。少なくとも現状の改善には資すると考えられるからだ。しかし、システムとして教育をとらえると、この改善策にも問題がある。教員の養成や供給とのギャップが生じてしまうのである。

小学校の場合で言えば、二〇〇一年から二〇〇五年までの間に、定年などで退職する教員が毎年一万五〇〇〇人に及ぶと推定される（山崎博敏・広島大学教授の研究による）。団塊の世代がしだいに定年を迎えるためである。その結果、改善計画と合わせれば、毎年一万七〇〇〇人近い教員の需要が発生する。ところが、近年策定された別の政策の影響を受け、供給が追いつかなくなるのである。

この十年ほど続いた少子化による教員採用数の激減という事態を受け、大学における小学校教員養成の学生定員が、近年大幅に削減された。そのため、二〇〇四年以後の小学校教員養成課程の大学卒業者数は、総計で一万人にも満たなくなる。これでは卒業生全員を雇っても、毎年七〇〇〇人以上足りなくなる。

さらに、二〇〇六年以後は団塊世代が本格的に定年を迎えるため、年平均の退職者数は二万人に達すると推定されている。そうなれば、教員不足はますます深刻になることは間違いない。今すぐ大学入学定員の増をはかっても、教員養成には大学での四年間の教育を見込めば、早急に手を打つべき問題と言える。

しかも、少子化の影響で、教員養成大学を含め、大学入学はますます容易になっている。その中で起きる新任教員の供給不足は、量の問題に留まらず、教員の質にも関係する。三〇人学級を本気でめざすのであればなおさらのこと、教員の供給不足が重大なボトルネックとなる。それを考えておかないと、理想も画餅に帰す。

ところが、これら政策間の齟齬から生じる問題が、国会で議論されたことは寡聞にして知らない。システム論的な発想がないと、目先の問題ばかりに気を取られ、当該政策の善し悪しだけに目が行きがちだ。

今回の教員定員の改善策についても、ぜひとも教員の養成や供給といった問題にまで論点を広げ、メスを入れてほしい。教育制度のどこかを動かした時、その影響が別のところにどのように現れるか。そのように考える発想が大事なのである。

ゆとり教育に政策評価を

国会での教育の論じ方について感じるもうひとつの問題点は、政策の有効性を、その実行過程や成果までを含めて検証しようとする姿勢が弱い点にある。

とりわけ、教育問題の場合、個人の経験論や理念論に終始しやすいため、政策の実施過程についての丹念な調査に基づく検証や、政策の成果についての評価をふまえた国会論戦が行われにくい。政策評価の経験やデータの蓄積があまりに少ないために、詰まるべき議論が詰まりきらないで終わるのである。

たとえば、ゆとり教育の政策評価について考えてみよう。二〇〇一年一月五日付『読売新聞』は、文部省が「ゆとり教育」の抜本的な見直しを行う旨発表したと報じた。さらに一月十三日の朝刊では、小野元之文部科学次官（当時）へのインタビュー記事を掲載し「『ゆとりが少し過度に強調されていると心配している。基礎学力の向上をめざしていることを理解して欲しい』と述べた。体験学習などを重視すると受け止められていた『ゆとり教育』の進め方を抜本的に見直す方針を認めたものだ」と追い撃ちをかけた。

一方、一月六日付の『朝日新聞』は、町村信孝文相のインタビューをもとに、「ゆとり教育」堅持という文部省方針を報道している。また、一月十九日付の『日本教育新聞』は、先に紹介した一月五日付の『読売新聞』の記事を念頭に置き、「『ゆとり教育、抜本見直し』報道を否定」という見出しで、文科省がゆとり教育の見直しを行うつもりがないと伝えている。どの報道が正しいかは「藪の中」である。しかし、ここには、これまでの教育政策の成果や問題点をきちんとおさえたうえで、今後の教育改革をどのように進めるべきかといった、基本路線をめぐる論点が現れている。十年以上続いたゆとり教育の政策評価をしたうえで、その路線の継続か変更かを論じる必要がある。日本社会の将来に多大な影響を及ぼす選択だけに、国会の場で是非とも詰めた議論をしてほしい問題である。

教科書検定制度をめぐって

三番目の問題点は、具体的で、即効性と現実性と夢のある改善案が、あまり出ているようには見受けられない点である。

この点に絡めて、国会での教育論議に一石を投じる意味も込めて、私自身のささやかな提案をしてみたい。それは、内外の英知を集めて、小、中、高校生のための〈副教材〉をつくるという、教材開発ナショナル・プロジェクトの提唱である。

学習指導要領の改訂による教育内容の削減とともに、教科書がどんどん薄くなっている。しかも、学校や教師による創意工夫が求められるにもかかわらず、結局は教育現場での教科書まかせの姿勢は大きく変わりそうもない。そのうえ、学習指導要領は最低基準だと言われるようになっても、細部にわたる教科書検定制度の縛りはいまだにきつい。検定教科書では思うような教材開発ができないのである。

そこで、教科書としてではなく補助教材の開発を立ち上げるのである。それは、教育内容のミニマム・スタンダードをわかりやすく理解できるものであるとともに、より高度な内容についても進んで自学自習ができるものをめざす。そして、それは紙ベースを主としたマルチメディア教材となろう。ITの利用を視野に入れるのもよい。一流の学者、教師、メディア・プロデューサーなど内外の英知を結集し、三〜五年程度の時間をかけて、教科書検定の枠にとらわれずに、二十一世紀の世界に通用する教材開発を急ぐのである。

唯一のものをつくるのではなく、複数のものを同時につくる。政治が内容に介入しないようにもする。「国定」ではない補助教材の作製をめざすのであり、作製のプロセスにコンテストの考えを取り入れるのもよい。すぐれたアイデアや作品には、制作費に加え褒賞も与える。知識の伝達にかぎらず、「考える力」をつける内容も盛り込もう。そして、まずは学力低下が心配されている算数・数学や理科からスタートする。これは、教員の質の低下を補うための対応策にもなる。

さらには、教材作成の副産物として、高校入試や大学入試に活用できる入試問題の開発を行うのもよい。考えるに値する良問がたくさんつくられれば、受験競争はかならずしも悪ではなくなるからである。

人件費を含めたこれら一切の開発費と、普及にあたっての補助や褒賞を費用と考えれば、無駄な公共事業をいくつか取りやめる程度の予算で、二十一世紀の教育の基礎づくりとなる教材開発が可能となる。数学や理科などは外国語に翻訳し、教材開発費の乏しい途上国などに無償で提供すれば国際貢献にもなる……と、夢は広がるものの、教科書検定制度への批判とも皮肉ともとられかねないこの提案は、国会レベルの議論からはほど遠いのかもしれない。

だが、この提案の是非は別として、教える内容を豊かにするために税金を有効に使うことも、教育改革の議論に取り入れてほしい論点のひとつである。この点は強調しておきたい。

（二〇〇一年二月十日発表）

4　大学全入・全卒時代にどう対処するか

十八歳人口の激減

今年（二〇〇一年）も受験シーズンが終わろうとしている。受験生にとっては、合格発表に一喜一憂する季節だが、いまや受験生から選ばれる側にまわった大学には、喜びよりも頭の痛い季節である。合格内定者のどれだけが実際に入学してくれるか、歩留まりに頭を悩ませる大学や短大が増えつつあるのだ。この数年、大学関係者の間では、入試シーズンが終わると、どの大学が定員割れを起こしたのかが話題となる。今年の結果はまだわからないが、二〇〇〇年の実績で言えば、リクルート社の調査に回答した大学のうち、四年制大学の一二%、短大だと三五%が定員割れを起こしている。情報を公開しない大学や短大が増えているところから、実際にはこれ以上の定員割れ大学・短大が存在すると推測される。

十八歳人口の減少が、「大学淘汰の時代」（喜多村和之氏）をもたらすことは、すでに一〇〇年以上も前から言われてきた。第二次ベビーブーム世代が十八歳を迎えた一九九二年の二

図　18歳人口と国立大学教職員数

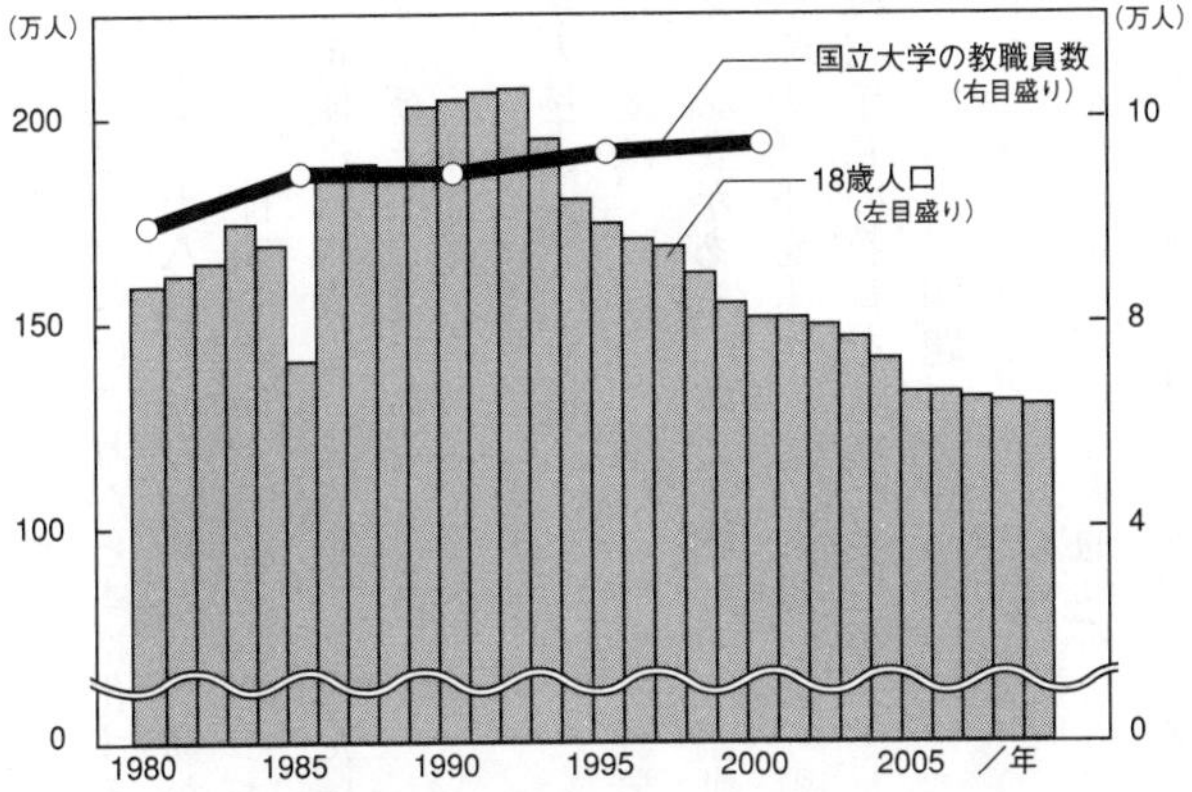

注）　3年前の中学校卒業者数をもとに計算
出所）文部省編「平成11年度　わが国の文教施策『進む教育改革』」1999年

〇六万人をピークに、十八歳人口は二〇〇一年には一五一万人へと減少した。こうした減少が、前述の定員未充足として現れているのは確かである。それでも今のところ、大学や短大がつぶれたという話も、定員割れの話も、一部の大学関係者を除けば、マスコミが注目するような話題にはなっていない。

それと言うのも、十八歳人口が減少期に入ったとはいえ、この数年間は一五〇万人台の小康を保ってきたからである。ところが、今後ほぼ三年ごとに、一〇万人ずつ減り続ける。その結果、八年後の二〇〇九年には今より三一万人も少ない一二〇万人となる。まさに、文科省が予測した、選ばなければ全員がどこかに入学できる「大学全入時代」が目前に迫っているのである。景気の動向によっては、家計の不安から進学率が予想通りに上がらず、全入時代が前倒しに到来することもありうる。本当に大変な時代はこれから本格化するのである。

しかも、十八歳人口の急減という動かしがたい未来は、どの大学が生き残れるかという問題以上に、日本の教育全体に、ひいては日本社会に大きな影響を及ぼす。教育をめぐる諸改革の可能性も限界も、この動かしがたい未来予測を前提にすることで、その輪郭がより明瞭に浮かび上がるのである。

学力低下問題への影響

たとえば、二〇〇二年から始まる新学習指導要領の影響も、大学全入時代の到来を背景に考える必要がある。教える内容の三割削減と、科目選択の幅を拡大した新指導要領が、さらなる学力低下をもたらすのでは、との懸念が広がっている。一部の大学人は、新指導要領で高校三年間の教育を受けた学生が入学し始める二〇〇六年を指して、学力低下が一層拡大する「二〇〇六年問題」と呼んでいる。この年には、十八歳人口が今より一八万人減少し、大学全入に一歩近づく。全入となる二〇〇九年には、新指導要領で小学校高学年から高校卒業まで学んだ学生が、誰でも通れるようになった大学の門をくぐるようになる。一部の大学を除き、学力によって入学者を選抜することはできなくなり、多数の大学が、教育内容三割削減の影響をもろに受けることになる。

しかも、日本の大学・短大の多数を占めているのは学生からの受験料や入学金、授業料などの納付金に頼る私学である。学力が一定の水準に達しないからといって、入学を拒んだり、退学させたりすることは、経営の根幹に関わる問題であり、私学にとって簡単にできることではない。他方で、後で見るように、大学の教育力が急速に改善されることも望み薄である。そうだとすれば、十八歳人口の急減期に大学が生き残ろうとすることで、学力低下の問題は大学を素通りして、社会へとツヶ回しされる公算が大きくなる。

それでは、国立大学の場合はどうか。こちらも、この問題から逃れることは難しい。と言うのも、時を同じくして、独立行政法人への移行が実施される可能性が高いからである。現在、国立大学の独立行政法人化（以下、独法化）問題は、制度設計の検討段階に入っている。今年度中にまとめられる検討結果を受けて二〇〇三年度には結論が出されるという。その後の実施に向けたスケジュールについては現時点で不明な点も多いが、国立大学の独立行政法人への移行時期が十八歳人口急減期と重なることは間違いない。

なるほど、現時点でわかる範囲では、各国立大学の独立採算制や、教育研究の成果をただちに財政配分と結びつけることはなさそうである。それでも、護送船団方式から訣別し、「競争的環境の中で個性輝く大学」づくり（大学審議会答申）をめざすのであれば、国立大学同士はもとより、私立大学との競合関係も今以上に強まるだろう。独法化後に入学者の定員割れを起こした国立大学はどのような評価を受けるのか。全入時代到来という背景のもとで考えると、独法化が大学間の入学者獲得競争を激化させることは想像するに難くない。

二〇〇〇年秋、国立大学協会は、センター入試で国立大学の受験生全員に五教科七科目の受験を求める提言を発表した。入学者の学力低下に対応しようとする動きである。この問題も、十八歳人口の急減という背景の前で考えるべきである。

その一方で、国家財政悪化のもとで独法化が行われれば、国立大学の入学金や授業料の値上げも十分予想される。その結果、教育費負担の国私間の差が縮小すれば、入学者獲得のためにAO入学（多様な方法での選抜）や推薦入学の拡大など、受験生の負担軽減を図る大学も増えるだろう。定員割れを避けようとすれば、むやみに入試科目を増やすことはためらわれる。こうして国立大学の場合もまた、大学が生き残りを図ろうとすればするほど、高校までの教育改革の影響をまともに受けることになるのである。

小学校や中学校で、授業がわからない子どもを減らそうとすることは、重要な課題である。だが、そのための解決策が、全体の教育水準をどのように変えてしまうのか。この問題の重大さを、十八歳人口の急減という動かしがたい趨勢と絡めて考える必要がある。高校までの教育改革によって、これまで以上に「狭く、浅く」しか学ばない学生が大学に殺到する。それでも学生を受け入れざるを得ない立場に大学は置かれる。こうした事態が日本にとって深刻なのは、大学の教育力が他の国々に比べて見劣りするからである。しかも教育力を早急に改善できるほど、日本の大学には十分な感応性も機動力も備わっているようには見えない。改善のためのインセンティブも不在である。

アメリカと日本の違い

その責任は大学だけに求めるべきではない。これまでの日本社会全体が、大学に入るまでの教育に比べ、入学後の教育を軽視してきたからである。大卒者を採用してきた企業も、理系を除き、大学教育にほとんど期待をかけてこなかった。アメリカのように就職の際に大学での成績が重視されることもない。大学教育が就職活動によって実質三年間になることに、企業も大学も目をつぶっているほどである。企業をはじめ社会全体が、大学での教育の成果を問わないのであれば、学生が勉強せず、教師が教育の改善をめざそうとしないのも当然である。受験生とて、教育の質で大学を選ぶようにはならない。それなら市場原理の導入によって大学に競争させても、教育の改善には結びつかず、むしろ受験生に迎合した入学者獲得競争に拍車をかけるだけである。

それでもこれまでやってこられたのは、この間までは高校までの教育がしっかりしていたこと、大学が学力によって入学者を選抜できたこと、実質的な職業訓練は長期雇用を前提に企業内で行えたことなどによる。よくも悪くも、大学も企業も社会も、大学入試の恩恵を受けてきたのである。ところが、その入試の効用が消えてなくなる。高校までの教育は、アメリカなみに多様化し水準も低下する。企業もまた、長期間かけて人材を育成する余裕を失い、雇用の流動化が進む。一種のアメリカ化である。そうなれば、大学での教育の役割も大きくなるはずなのだが、それを担う十分な教育力を持たないまま、日本の大学は全入時代を迎える。

アメリカの大学は、入るのはやさしいが出るのは難しいと言われる。しかし、その実態を支えているのは、実は、公立二年制のコミュニティ・カレッジであり、ハーバードやスタンフォード等の有名大学ではない（これらの大学は入るのも難しいし、選りすぐりの学生を入れているため卒業率も高い）。新規の大学進学者のうち約四割を受け入れているコミュニティ・カレッジは、高校卒業者なら誰でも入れる、地域に密着した公立学校である。税金で賄われるため授業料も安い。ところが入りやすい分、高校卒業レベルの学力を身につけていない学生も少なくない。入学者の四割がそのために補習授業を受ける。それをクリアできなければ、当然卒業もできない。その結果、入学者の約半数が途中で脱落する。誰にでも大学で学ぶチャンスを与える代わりに、一定の水準まで到達できなければ卒業させない。高校までの教育が多様でも、教育全体の出口のところで質を維持する仕組みがアメリカには備わっている。それに比べ日本では、卒業のところで教育の質や水準を保証できるようにはなっていない。大学は自ら進んで全入状態をつくろうとしたわけではない。しかも、生き残りを考えれば、大学全入は、これまで通りほぼ全員卒業という結果とつながるだろう。入りやすくて出やすい、大学全入・全卒時代の到来である。

アメリカをはじめ、他の先進諸国では二十一世紀を「知識を基盤とした経済」の時代ととらえ、高等教育を含め、教育水準の向上をめざす改革を進めている。国際的に見て、大学の教育力がますます問われることは間違いない。日本の大学が全入・全卒の時代を迎えるのは、こうした国際環境のもとである。教育の機会拡大と質の維持とを両立させるにはどうすればよいのか。大学での教育軽視の悪循環は、どうすれば断ち切れるのか。ここでも問題を先送りできる猶予は刻一刻となくなっていく。間近に迫る、動かしがたい未来を直視することからしか、解決策は見えてこないはずである。

（二〇〇一年三月十日発表）

5 「歴史教科書論争」と検定制度

なぜこれほど問題にされるのか

「新しい歴史教科書をつくる会」(以下、つくる会)が編集した中学校の歴史と公民の教科書が、検定を通過し教科書として採用されそうだという。それをきっかけに、中国や韓国から批判が出て、メディアでも「教科書問題」が再燃している。

私も早速、つくる会の中学社会『歴史』(検定に提出されたいわゆる白表紙)を読んでみた。何とも言えない違和感が残った。戦前期の歴史があまりに肯定的に描かれている。そのことに居心地の悪さを感じたのである。

なぜ、違和感が残ったのか。学校で受けた「偏向教育」によって、私自身が知らず知らずのうちに「自虐史観」を身につけてしまったからか。そう自問してみたが、答えはノーである。むしろ、中学を卒業してから得た知識や経験を通じて、この教科書の記述に違和感を感じる歴史感覚ができていたのである。私個人に限らず、中学卒業後に歴史に関するどのような情報にどのように触れるか、それによって個人の歴史感覚も違ってくるのである。

たとえば一方で、小林よしのり氏などの著作に触れ、現代史をとらえ直し始める若者は少なくない。他方で、元従軍慰安婦の外国人女性たちの過去を語る会などに出席する機会を得て、それまで学校で教えられなかった歴史に、認識を新たにする若者もいる。教育の現状を前提とすれば、教科書に書かれた知識が直接多くの人びとの歴史観に影響するほどの力をもちえない。むしろ、卒業後のさまざまな〈歴史〉との出会いによって、歴史感覚が影響を受けるほど、教科書を通じた歴史教育の影響は浅薄で移ろいやすい。いや、ほとんど歴史的無知の状態をつくり出しているといってもよいほどだ。ただし、ここで無知とは、知識をもっているか否かといった単純なことではない。

教育の効果という実態に照らし合わせると、それほどの影響力を持つように見えない教科書が、なぜこれほど問題にされるのか。歴史教育の実効性の弱さを考えにいれると、ことはそう単純ではない。とはいえ、歴史教育が無力だから教科書問題はたいした問題ではない、と言いたいのではない。つくる会に賛成する側も反対する側も、ともに前提としている問題を引きだして考えてみたいのである。

「検定」教科書に書かれた内容が、国内外の政治的な問題になるのは、検定という制度が、国家による知識の公的な権威づけを意味するととられるからである。つくる会に賛成する側も反対する側も、教科書検定という制度に対して、それが国家による歴史的知識の認定であるかのように見なしている。両者の言い分に検定の公平性や中立性を求める主張が認められる。どちらの立場に立つにせよ、その行き着く先には、より厳密で公正な検定の実施が求められている。しかし、そもそも教科書検定を、国家による知識の認定や正当化の制度として理解していいのか。しかも「学校で使われる教科書だからこそ」という考えには、教育を聖域に祭り上げようとする暗黙の前提が共有されている。実際の教育の効果が疑わしいにもかかわらず、まるで白紙のような子どもの歴史観に、初めて刻印を捺すことができると考えられている。だが、公平で中立な検定という制度の厳密化を求めるのは筋違いであろう。検定の権威を強める方向に作用するからである。

検定制度の本質

教科書検定は、近年その簡素化が図られてきた。その具体的プロセスは、教科書調査官と呼ばれる文部省の官僚が内容の検討を行い(「調査」)、その結果を文部大臣の諮問機関である教科用図書検定調査審議会に提出、そこで答申が出される。この答申結果に基づき、文部科学大臣が検定を行う、ということになっている。検定意見の概要も現在では情報公開されている。検定のガイドラインとなるのは、教科用図書検定基準と呼ばれる基準であり、そのおおもとには学習指導要領がある。

しかし、学習指導要領の規定も、厳密なものではない。いわば「大綱」を示しているに過ぎない。中学校社会科の歴史的分野については、学習の目標として「歴史的事象に対する関心を高め、我が国の歴史の大きな流れと各時代の特色を世界の歴史を背景に理解させ、それを通して我が国の文化と伝統の特色を広い視野に立って考えさせるとともに、我が国の歴史に対する愛情を深め、国民としての自覚を育てる」ことや、「歴史に見られる国際関係や文化交流のあらましを理解させ、我が国と諸外国の歴史や文化が相互に深くかかわっていることを考えさせるとともに、他民族の文化、生活などに関心をもたせ、国際協調の精神を養う」といったことが、この程度の抽象性をもって規定されている。

教えるべき「内容」にしても、第二次大戦に関する部分は、「昭和初期から第二次世界大戦の終結までの我が国の政治・外交の動き、中国などアジア諸国との関係、欧米諸国の動きに着目させて、経済の混乱と社会問題の発生、軍部の台頭から戦争までの経過を理解させるとともに、戦時下の国民の生活に着目させる。また、大戦が人類全体に惨禍を及ぼしたことを理解させる」という抽象的規定に留まる。

教科用図書検定基準にしても、大枠を定めたものに変わりはない。八二年から「近隣のアジア諸国との間の近現代の歴史的事象の扱いに国際理解と国際協調の見地から必要な配慮がなされていること」という、いわゆる「近隣諸国条項」が加わったものの、それをどのように解釈するかにはやはり幅がある。こうした基準をもとに判定した場合、自虐史観と批判されてきた教科書も、つくる会の教科書も、基準の解釈のしかたや「調査」や「審査」の運用しだいで、どちらもパスする可能性がある。それだけ政治的な判断にゆだねざるを得ないのである。従来の教科書問題では、むしろマスコミも進歩派も、検定における判断に異論を唱えることが多かった。そのことを思い起こせば、教科書検定という制度自体、どのように運営しようと政治的な判断から逃れられないことがわかる。しかも、そうした高度な政治的判断が、科目ごとに見ればわずか数名の教科書調査官や審議会の委員にゆだねられ、その結果が国家によるお墨付きと見なされるのである。

「国民の歴史」という虚像

社会学者のましこひでのり氏は、通史としての日本の歴史の存在を前提にしていること自体に、すでに政治性が含まれていると指摘する（『イデオロギーとしての「日本」』）。過去から現在まで綿々とつながる「日本」という国家、「日本人」の連続性を前提とした歴史イメージは、それ自体近代の国民国家の成立によってつくられた伝統であり、歴史観である。そこには「国民」や「国家」という概念自体を相対化する視点は含まれない。この点は、従来の教科書もつくる会の教科書も選ぶところはない。また、哲学者の竹田青嗣氏は、つくる会に賛成する側と反対する側の対立を「戦後を長く主導してきた〝進歩＝革新陣営〟対〝保守陣営〟という政治的対立の一表現にすぎない」と断じ、両陣営とも歴史教育によって「国民に共同的な世界像を与えることができる」と考えている、と指摘する（『朝日新聞』二〇〇一年三月十五日朝刊）。竹田氏が指摘したとおり、どちらも「国民」を前提に「共同的な世界像」を教えることができると考えているのである。

教科書検定が政治問題となるのも、「神聖な教育の場だから」「歴史観において無垢の子どもたちが学ぶ教科書だから」といった、教育の有効性を信じ、教育を聖域視することを前提に、検定済み歴史教科書が正当な「国民の歴史」をつくり出す基盤であると見なされているからである。教育の受け手としての「国民」を前提に、国家による検定が歴史的知識の正当性をめぐる争いの場となる。そしてこの循環が、グローバル化が進み、いまや時代遅れになろうとしている国民国家の歴史感覚を再生産し続けるのである。

そうだとすれば、より厳密な、政治的判断を含まざるを得ない「公正な」検定をめざすより、検定制度を大幅に緩和したり、他の先進国のように検定を取りやめるか、第三者機関による最低限のチェックにとどめたりするほうがよい。歴史に関する知識の正当性を国家が権威づけてしまうかに見える、その仕組み自体を解体していくのである。そうすることで、

「国民の歴史」の権威も、教育を神聖視することも弱められるだろう。あるいは、一部ですでに地道な試みが始まっているように、近隣諸国との共同作業を通じて、地域に関する歴史的知識の共有化をめざすような、国民国家を越えた教科書づくりの試みも重要だろう。

複数の教科書で授業を

もうひとつ、歴史教育の効用という点に関して提案をしておこう。つくる会の教科書と別の教科書の二つを用いた授業実践の勧めである。いずれか一方の立場に立つのではない。一方に書かれていることが、他方には書かれていなかったり、同じ事件についても記述のしかたが異なったりすることを見つけだす。どのような事件や時代をめぐって、そうした違いが目立つのか。それぞれの教科書が、歴史を、さらには「歴史」という教科を通じて教育しようとしている事柄を、どのようにとらえているか。それらを浮き彫りにするのである。

複数の対立する可能性のある歴史のとらえ方が、検定教科書という形で流通することにも目を向けてみよう。それぞれの知識が身についた場合に、将来、外国人とのつきあい方にどのような変化が生じるか、日本という国や近隣諸国に対してどのようなイメージを抱くようになるかを、学習者に想像させてみるのもよい。

どちらが正しいかを教えるのではなく、それぞれが正しいと主張する際の前提となる価値判断の違いを引き出してみる。その場合、いずれの議論においても「日本人」や「日本」という単位が大前提になっていることの政治的含意にも注意を払ってみよう。

こういう授業は、中学校では無理かもしれないが、高校や大学、社会科教員の研修会でなら十分に可能だろう。たとえば、このような地道な実践を通じて、私たちの歴史感覚や政治感覚をきたえていく。それが、歴史的無知から脱却するひとつの具体的な教育方法だと考えるのである。

（二〇〇一年四月十日発表）

6　現場を混乱させた「学習指導要領＝最低基準」発言

混乱する教育現場

本年（二〇〇一年）四月三日、教科書検定の結果が発表された。前章で扱った「新しい歴史教科書をつくる会」の教科書も修正意見を取り入れたうえで検定合格となった。この日のニュースではそれと並んで、「三割削減」を実現した算数や理科の教科書についても話題となった。「小学校の算数では三ケタ同士のかけ算や台形の面積を求める公式が消えた」など、内容の薄くなった教科書が学力低下をもたらすのではとの懸念を表明する記事が新聞各紙を連ねた。

教科書検定の場では、指導要領は『絶対基準』扱いされ、その内容を超えた記述はほとんど削除や修正を求められた」。とくに算数・数学や理科では、「新要領で限定・削除された内容に付され」「これまでコラムや欄外なら許容されてきた発展的な記述にも意見が付され、教科書会社側は大幅な修正を余儀なくされた」（『読売新聞』二〇〇一年四月四日朝刊）という。

しかも、教科書の検定に当たった審議会の委員の間でさえ、こうした削減に疑問の声が上がった。同日の読売の報道では、算数・数学の委員が「仲間内で『ここまで削減していいものか』と話した。だが、指導要領の範囲内か否かをチェックするのが我々の役目だから、疑問を感じながらも一つの型にはめざるをえなかった」と話し、理科担当の委員からも「厳選検定の背景には、授業時間減を受けた文科省の意向が強く働いた。日本の科学の将来が心配」とのコメントが紹介された。

一方で、各紙の報道によれば、文科省は二〇〇二年春に向け、小中学校で教科書の範囲を超えた内容を教えるための教師用ガイドブックをつくることを決定したという。「学習指導要領は全員が一律に身につけるべき最低基準」との方針でつくられた教科書では、理解の早い生徒の「浮きこぼし」が問題になる。こうした懸念に、教科書ではなく副教材などで対応することが求められているからである。

それにしても、こうした文科省の動きは、なんとも奇妙である。教科書には「最低基準」だけを載せることを許し、その一方で、「理解の早い児童生徒」への対応のしかたを教える教師用マニュアルを作る。このちぐはぐにしか見えない教育行政の対応は、どのような背景によって生じたのか。また、そこにはどのような問題が含まれているのか。

「最低基準」見解をめぐって

ことの出発点は、文科省が学習指導要領を最低基準であると位置づけたことにある。その発端は、私自身も関係した、寺脇研氏(当時文部省政策課長)の発言にあった。学力低下への懸念が表面化し始めた頃、ある雑誌での私との対談の中で寺脇氏が「指導要領は全員に共通して教えるミニマム(最低線)だということです」と発言、さらには、個人的な意見ではなく文部省の見解として、だからこそ、新指導要領のもとでは「みんなが百点取れる」と明言したのである(『論座』一九九九年十月号、二〇〇一年に『論争・学力崩壊』に再録)。

しかし、当初その波紋は教育界の一部を除き、大きくは広がらなかった。そのことを、私は『中央公論』二〇〇一年一月号に書いた。それからわずか半年も経たないうちに、二〇〇二年から使用される教科書が具体的な姿を現すと、指導要領=最低基準をめぐって問題が噴出するようになった。教育現場では、それでなくても「総合的学習の時間」への対応だけで手いっぱいなのに、最低基準を超える教育をどう準備できるのか、と困惑の声が上がっている。

文科省の論理は、「ゆとり教育」をめざす→学校五日制に見合った教育内容の一律削減→教科書に残った教育内容は「全員が共通に学ぶ最低基準」→それ以上は、各教師が対応すべきだが、そのためのガイドラインが必要、ということになるのだろう。

しかし、学習指導要領は最低基準を示したものだといっても、そのことがただちに、教科書検定の場で上限を示す「絶対基準」になるかどうかには、判断の余地がある。「指導要領は最低基準を示したもの」との見解と、「教科書には最低基準の内容しか掲載できない」との見解が結びつくにいたるのには、どのような事情があったのか。

その事情とは、すでに省令として公布されている学習指導要領の記述のスタイルにある。前章では、歴史教科書をテーマに、学習指導要領の規定は大綱的であり、そこにどのような内容を盛り込むかには運用上の判断がありうると書いた。しかし、学習指導要領は最低基準だといっても、理科や数学の場合などはその趣が大きく異なるのである。

たとえば中学理科のレンズについての学習では、「内容の取り扱い」として、「実像と虚像を扱うが、レンズの公式は扱わないこと」との一文がある。指導要領は最低基準であるという見解を当てはめ、この文面を素直に読めば、「実像と虚像を扱う」ことは最低基準で、誰もが一律に学習すべき内容であり、「レンズの公式」はそれ以上の内容となろう。

もしも最低基準であることを文字通りに理解し、「レンズの学習では最低基準として実像と虚像を扱う」とだけ規定しておけば、レンズの公式も、発展的内容であることを明示したうえで、教科書に載せることが可能になるのだろう。ところが、実際の指導要領では、最低基準を示すだけに留まらず、「○○は扱わないこと」とか「○○の程度にとどめること」といった上限を規定する表現が使われた。それ以上の内容は「扱わないこと」まで最低基準を示すはずの指導要領に明記したのである。そうなれば、「指導要領の範囲内か否かをチェックする」役目の検定審議会を通じて、最低基準以上の内容が削られるのは当然である。上限規定スタイルの記述が先行したこと自体、指導要領の作成過程では、「(それ以上の内容を学校で教えることを許す)最低基準」との見解が徹底していなかったことの証拠と言えるのかもしれない。

すでに省令として公布された学習指導要領の文言を変えないかぎり、最低基準との見解は、教科書に掲載できる上限を示すものとならざるをえない。だからこそ、最低基準の内容を体現した教科書とは別に、「理解の早い」子どものために教師用の指導書をつくらねばならないといった、ねじれが生じるのである。

教科書の呪縛

しかし、学習指導要領を通じて、国民に最低限身につけてほしい教育内容を提示することと、教科書の記載内容をその最低の範囲内だけに留めることとが、同じである必要はまったくない。税金によって賄われる義務教育が、最低限の教育を保障するだけでその役目を終えるとはいえないからである。「みんなが百点」のレベルをミニマムというのであれば(この前提自体は大変疑わしいのだが）、それ以上の内容を学習する子どもが多数を占めるのは当然であろう。このような事態に対し、年間四四〇億円もの税金をかけて無償配布される教科書には「最低基準」以上の内容は記載されず、それとは別途に税金をかけて教師用のマニュアルづくりをする。

一方、「分数のできない大学生」に留まらず、「学力低下」を示す証拠が、指導要領改訂の準備のために、五万人近い中学生を対象にした文部省自身の調査の中にある。なぜか報告書も刊行されなかったこの調査で、過去と同じ共通問題の結果を比較すると、中学理科の成績は明らかに低下しているのである。文科省はさらなる「ゆとり教育」を推し進めるため、小中学校での学力低下は絶対ないと懸命に否定するが、新指導要領の改訂のために行われたもっとも基本的な調査の結果が、その見解を裏切るのである。さらに「ゆとり教育」を拡大しようと税金で行われた調査が十分活用されず、学力は絶対低下していないことを前提に、税金で配付される教科書に縛りをかける。そのうえ、これまた税金で、教科書に載せられない内容を教える教師用マニュアルをつくる。「お上」のちぐはぐな対応に、納税者は口をはさむこともできない。政治家もこうした事実を知らないし、質そうともしない。世論の支持を受けた改革だと文科省は言ってきたが、いまや「ゆとり教育」に反対する声が支持を上回る（二〇〇一年『読売新聞』世論調査）のにである。だが、改革のツケは国民に戻ってくる。

こうした弥縫策《びほうさく》としか言えない対応がとられる背景には、何があるのか。教科書の記載を最低基準に合わせるのは、それ以上の内容が含まれると、せっかく指導要領で行った三割削減が、現場レベルで守られなくなると文科省が懸念するからだろう。教科書の内容を教師は教えようとするし、教科書にあれば親たちもそれを期待する。最低限の基礎・基本と発展的内容の両方が載っていれば、現場は全員に発展的内容まで教えようと無理をする。一部の子どもにだけ発展的内容を教えると、「差別」との批判も受けかねない。文科省は、こういった画一化の圧力が「ゆとり」教育を無力化すると恐れているに違いない。結局、文科省も教科書の呪縛から逃れられていないのである。

しかし、皮肉にも、画一化の圧力に抗しようとすることで、教科書レベルでは「最低線」という名の画一的な内容に押しとどめる力が働き、「理解の早い」子ども向けには、文科省のつくる教師用マニュアルを仰がざるを得ない事態が生まれる。指導要領が、大綱的に最低限の内容を示すものであることを前提にした教科書制度も学校の仕組みも整っていない以上、突然の方針変更は教育現場に戸惑いと混乱をもたらすだけだろう。

幸いにして、文科省は、これまでほぼ十年ごとに行っていた学習指導要領の改訂を、随時行える体制を整えている。これだけ無理が重なった以上、上限規定にならない本来の意味での最低基準との見解をベースに、初めからそれを前提にした指導要領の再改訂と、それに見合う教科書制度の見直しにただちに着手すべきだ。その際、学力低下を懸念し、指導要領の問題点を具体的に指摘してきた理数系大学人をフルに活用すればよい。遅れれば遅れるだけ、教育現場は混乱し、都市部での公立離れが進む。昔に戻れない以上、弥縫策ではない、根本的な制度設計のやり直しが求められている。

（二〇〇一年五月十日発表）

7 地方選挙が変われば教育も変わる

地方選挙の可能性

地方議会の選挙には、国政レベルとは異なり、人びとの生活とより直結した政策や施策を左右する、生活密着型の民意の把握という意味があることを忘れてはならない。福祉や環境、ここで論じる教育などの領域は、まさにそうした生活に密着する問題と言える。

ところが、福祉や環境などの問題に比べ、教育について地方議会レベルでどれだけ具体的な政策が争点となるかというと、いまのところ心もとない。その理由の一端は、これまでの教育行政が、文部省を頂点とした、まさに中央集権的な仕組みによってきたことによる。さらには、地方レベルでも、教育に関連する選挙公約と言えば、「青少年の健全育成」とか「いじめをなくす」など、抽象的で一般的なきれい事しか掲げられない候補者の力不足や、それに甘んじる有権者の詰めの甘さがあったことも否めない。

しかし、「ゆとり」教育の推進や「総合的学習の時間」の新設といった教育内容に関わる改革に比べてマスコミ報道は一段と少ないものの、中央と地方との関係に関わる教育行政のあり方については、分権化をめざす制度改革がすでに準備されている。まだまだ不十分なところが残るとはいえ、それらは教育における地方の独自性や可能性を引き出す余地を広げる改革として、一定の評価ができる。その有効性をできる限り広げるために、用意された新しい器にこれから何を盛るべきか。地方選挙をきっかけに、今回はこうした問題について考えてみたい。

教育行政の転換

一九九八年に中央教育審議会は「今後の地方教育行政の在り方について」と題する答申を出した。同期の中教審による「心の教育」の答申や、「初等中等教育と高等教育の接続の改善について」の答申に比べ、マスコミ報道も少なく、一般の関心も集めなかったものの、政府による地方分権推進の流れの一端に位置するこの答申は、従来の中央と地方の「タテの関係」に変更を迫るものとして、重要な意味を持つ。そこには、「国や都道府県の関与が些末な部分にまで及んでいるものがあり、都道府県や市町村の主体的な施策の展開を妨げている」との現状認識のもとに「これまで細部にわたって指導等を行っていた文部省の行政の在り方を見直すとともに、国や都道府県の市町村や学校に対する関与を必要最小限度のものとするなど、各地域や学校における主体的かつ積極的な活動を促進する観点から地方教育行政制度の在り方について見直しを行い、新たな国、地方公共団体と学校との連携協力体制の在り方を示すこととした」と、改革の方向が示された。

この答申を受け、文部省は、いわゆる「地方教育行政法」を改正し、二〇〇〇年四月から施行した。これによって、文部大臣による教育長の任命承認制が廃止されたり、都道府県教委への「指揮監督権」が廃止されたりした。また、教育における「行政指導」ともとれる文部省の「指導・助言」のあり方についても、中教審答申の主旨に基づき、義務規定から「必要に応じて行う」といったものへと規定が緩和された。少なくとも法律の文面上では、文部省の「指揮監督」や人事の承認といった上意下達の指揮系統から、市町村や学校の主体性を活かす方向へと方針の転換が示されたのである。

もうひとつ重要な改革は、学校での一学級あたりの人数を規制していた学級編成の規定とそれに対応する教職員定数の規定とを弾力化したことである。先の中教審答申を受けた今年四月の法律改正により、これまでの「四〇人学級」の縛りを緩和し、教育委員会の判断によって少人数学級の実施が可能になった。財源確保という難題が残るとはいえ、これまで制度によってがんじがらめに縛られていた学級編成が、地域の取り組みいかんで改善可能になったのである。

地方からの改革

これらの改革が、「上から」の分権化であることは間違いない。教育委員会制度が改革されたといっても、首長による任命制であることにも変わりはない。とは言え、文部省を批判するだけでは、教育を変えられないこともまた事実である。そして、実際に、新しい器に新しい内容を盛り込む、「地方からの教育改革」の動きが始まっている。

ひとつは、学級編成の弾力化を可能にした制度改革を受け、さらには本年度から始まった教職員定数改善計画に従った動きである。文科省の調査によれば、すでに全国一〇の府県で学級編成弾力化の措置が図られることが決まった（『日本教育新聞』）。例えば、広島県では小学一年生を対象に、一学年三学級以上の学校で一学級あたりの人数が三五人を超える場合に、三五人以下の学級に編成したという。千葉県では、生徒指導上の問題を抱える学校できめ細かな指導を行うために、学級編成の弾力化を行う。対象となる学年も教科も、編成の理由も、地域ごとに異なる取り組みが開始されている。

行政面でも、新たな試みが始まっている。福島県三春町では昨年、教育長を公募で選考した。町の居住者に限定しない方針で募集したところ、全国から五〇三人が応募した。教育長は、教育委員の中から首長が任命するという制度改革を受け、県教委の承認なしに、選考のしかたを大胆に変えることが可能になった。公募による教育長の任命方式が、どのような成果を生み出すか、まだ始まったばかりだが、教育委員会のあり方、教育行政のあり方に変化をもたらす可能性は高い。

このほか「学習指導要領は最低基準」との文科省の方針転換を受け、愛知県犬山市の教育委員会では、算数の授業改善をめざして、市独自の副教本をつくることを決めた。鹿児島県では、県独自の「新世紀カリキュラム審議会」をつくり、その答申に従って、従来の「新しい学力観」に基づく教育に行き過ぎがあったことを認め、基礎・基本の徹底と「生きる力」の育成の両立をめざす教育に取り組もうとしている。また、中央政府の分権化に先んじるように、高知県では、橋本大二郎知事の選挙公約に従い「土佐の教育改革を考える会」を発足させ、九六年以来独自の教育改革を進めてきた。学校の閉鎖性を打破し、学校運営に保護者の声を取り入れるための「開かれた学校づくり推進委員会」を設置したり、親や住民の声を教育行政に反映させるための「地域教育推進協議会」をつくった。続いて、「三〇人学級」の実現をめざす動きも始まっている、という。

まだまだ「上（＝文科省）」を見る動きや、横並びを気にする面が払拭されたわけではない。それでも、これらの先駆的な例は、規制緩和や分権化を活かすための試みが、部分的に始まっていることを示している。

住民の意志が問われている

教育委員の公選制が復活したわけではない。その意味では、地方の教育行政への住民参加には制約が残る。しかし、首長が文部科学大臣の承認なしに教育長を任命できるということは、首長の選出を通じて、住民が間接的に教育行政に影響力を持ちうるルートが拡大したと見ることもできる。改革後の制度のもとでなら、かつて東京の中野区が行っていた教育委員の準公選制も実施可能である。三春町のように、教育長を公募する自治体が今後さらに増えていくかもしれない。あるいは、三〇人学級の実現を公約とする候補者が首長に当選したり、議会で多数を占めれば、そのための予算措置をしたうえで、国の基準と異なる学習環境を提供することも可能である。それもこれも、文科省にお伺いを立てるのではなく、地方の首長や議会の判断いかんによってできるようになった。つまりは、地方議会や首長の選挙を通じて、「下からの教育改革」を巻き起こす可能性が広がった、と言えるのである。

まだまだ制約があるとはいえ、まずはこの新しい地方分権の制度を十分活かすことが「下からの教育改革」を立ち上げる道だろう。そのためにも「青少年の健全育成」「受験競争の緩和」等、抽象的でありきたりの政策しか公約できない候補者に対し、より具体的な政策課題についての判断を有権者が求め、情報収集し、公開する試みが始まってほしい。

たとえば、財源問題までの配慮を含め、「三〇人学級の実現」にどう働きかけるのか。住民の教育行政への参加を推進・具体化するための方法をどのように考えているのか。学校選択制を選ぶのか、などなど。それぞれの地域ごとに焦点となる具体的な教育政策への考え方を候補者に問いただし、その結果をインターネットや地方紙などを通じて情報公開する。これによって、各候補者の政策チェックができるだろう（同じことは福祉や環境の分野でもできる）。

こうして有権者のチェックが厳しくなれば、候補者も勉強せざるを得なくなる。生活に直結する問題だけに、住民の目が厳しくなることが、地方の（教育）行政サービスを住民のニーズに近づける方途である。そして、選挙のたびに有権者も候補者も賢くなっていく。それが、民主主義の基盤を強化するのである。

（二〇〇一年六月十日発表）

8　情報公開と説明責任

情報公開の威力

今春（二〇〇一年）、山形大学を皮切りに、富山大学、金沢大学などで、過去の入試判定のミスが発覚し、マスコミをにぎわせた。コンピュータのプログラムミスが原因と言われるが、いずれも国立大学で起きた事件である。同じような私大の入試ミスについては、ほとんど報道がない。

その背景には、二〇〇一年四月より施行された情報公開法があった。この法律に後押しされ、国の機関である国立大学も、入試に関わる個人情報の開示を行うようになった。山形大学の場合も、受験生から今年度の入試結果について成績開示が求められ、そのチェックの過程でミスが発覚した。報道によれば、当初は今年度分のミスの公表だけで済ませようとの声も一部にあったようだが、情報公開法を使えば過去にさかのぼって事実関係を追及される可能性がある。そのような判断からだろう、過去のミスについても公表されるにいたったのである。

その後、他の国立大学でも、過去の入試を含め点検が行われた。その結果、いくつかの大学で同じようなミスが見つかった。まさに、情報公開＝国民の知る権利の威力である。

入試ミス事件の場合、合否判定の過程で、何が行われたかという「事実」レベルの確認が情報公開を通じて威力を発揮した。しかし、教育における情報公開の有効性は、こうした「事実」の確認以上の役割を果たしうる。それは、教育政策の立案、政策評価の検証にかかわる情報の開示を求めることであり、さらには「分析」という価値を加えた付加価値情報の利用を求めることである。

情報公開との関連で、文科省も「説明責任」ということをしばしば言うようになった。教育政策について「国民にわかりやすく説明する責任がある」といった意味で使われる場合が多い。これは、言わば政策実施以前の段階での「説明責任」である。しかし、この語のもとの英語、〝アカウンタビリティ〟には、政策実施の結果について、納税者の負担に応えるだけの（会計上の）説明・弁明ができるかどうか、という意味での「説明責任」が含まれる。政策実施以後の「説明責任」である。情報公開の有効性を高めるための付加価値情報の利用とは、この意味での説明責任にかかわる。しかし、この面での情報公開はというと、教育政策についてはまだまだ不十分である。

大学の社会的貢献と実態分析

『教育社会の設計』という本の中で、著者の矢野眞和東工大教授（当時）は、「実態分析を主軸に、理念と政策との三者関係を論理的に位置づける作業が、教育改革を『実』のあるものにする作法だ」と言う。「理念・実態・政策」の三者を有効に結びつけろ、という矢野氏の意見に全面的に賛成である。さらに矢野氏は、アメリカやイギリスの例を引いて、教育政策をめぐって「膨大な調査データを踏まえた論争になっている」ことを羨望する。裏返せば、日本の教育政策においては、もっとも基礎的とも言えるこうした情報が欠けているからである。

入試ミス事件の報道とほぼ時を同じくして、もうひとつ、国立大学の問題がメディアを騒がせた。「聖域なき構造改革」を掲げる小泉内閣が、国立大学の「民営化」を提唱し、それが、今や終盤にさしかかった国立大学の独立行政法人化の議論に飛び火したのである。

国立大学の設置形態をどのようにするか。そこには、当然ながら、大学教育にかかる費用を、誰がどのように負担するかという、財政の問題が絡む。その点で、日本の大学改革は、サッチャー政権下で実施されたイギリスの改革をモデルにしていると言われる。しかし、矢野氏の著書によれば、当のイギリスでさえ、大学財政を誰がどれだけ負担するかを変更するに際し、大学教育の社会への貢献度と個人への貢献度をそれぞれ把握するための経済分析・財政分析が基盤にあったという。そのような基礎的データもなしに、受益者負担論がまかり通る日本――だからこそ、「国立大学を民営化すれば、すべてが解決するかのような意見が闊歩する」（矢野・前掲書）のだろう。

しかし、思いつきや勢いだけの改革が何をもたらすのか。副作用を含め、結果が出るまでに長い時間がかかる教育という営みについては、政策の有効性を判断するための正確な現状分析と、絶えざる政策評価とが求められる。私自身、文部省の教育改革をめぐって主張してきたのも、矢野氏の言う「理念・実態・政策」の三者の関係をふまえておくのが、改革を成功させるうえで不可欠だと考えたからにほかならない。ためにする批判ではないのだ。

政策評価研究基金の創設

今や世をあげて構造改革に突き進む時代である。教育の世界も例外ではない。そして、構造改革には痛みが伴うという。たしかに、既存制度の行き詰まりを打破するためには、ある程度の犠牲もやむをえない。しかし、そうした痛みが社会的に受け入れられるためには、その痛みの対価として、どれだけの成果が上がったのかが正確に評価・検討され、その結果が公表されなければならない。痛みの正当性は、痛みと成果との合理的な関係によって担保される必要があるのだ。小泉純一郎首相のフレーズをもじれば、「成果の検証なくして、さらなる改革なし」である。

慎重な議論が必要だ、と言っているのではない。そうした言い訳が、改革を遅らせるだけの場合も少なくない。重要なのは、議論の質を高めるための実態分析であり、政策成果の検証である。そして、それを実現するためには、「分析」という価値付与を可能にする情報公開が必要なのである。

そのためのささやかな提案をしたい。『政策評価研究基金』の創設である。

教育改革であれ、社会保障改革であれ、なんらかの社会政策の立案・改変に寄与することを目的に、その基礎研究を財政的・行政的に支援するプログラムをつくり出すのである。政策評価についてのすぐれた研究プロジェクトを選び出し、支援・促進していく。この基金は、現在、科学研究費の支給を担当している日本学術振興会が担ってもよいだろう。

ここで言う政策には、中央政府ばかりでなく、地方自治体の政策も含める。教育政策で言えば、地域ごとの教育改革の実施状況についての調査研究を、各県にある大学の教育系学部の研究者が行うことで、きめ細かい評価が可能になる。そして、政策の実施主体である当該の省庁や自治体は、この種の研究にできるだけ協力する責任を負うものとする。

このような研究として、大学改革で言えば、一九九〇年代に巻き起こった教養部の廃止と新しいカリキュラムの導入はどのような効果を持ったのか、一部の国立大学で進んだ大学院の重点化政策は、何をもたらしたのかといった成果を検証する研究が出てくるだろう。初中等教育で言えば、高校入試からの業者テストの排除と偏差値追放によって、中学、高校での教育がどのように変わったのか、さらには、「ゆとり」や「生きる力」の教育の成果についても検証の対象となるだろう。政策の成果を把握すると同時に、問題点や限界も指摘する。今後の政策をブラッシュアップするためにも、批判的な視点を含めた、さまざまな観点からの研究・検討・情報提供が待たれるのである。

ただし、これらの研究によって収集された情報は、最終的な報告書はもちろんのこと、もとになったデータについても(調査対象者の個人情報を保護したうえで)一定期間後に必ず公開することにする。すでにアメリカなどでは、インターネットやCD−ROMなどを通じて実施されている生データの公開である。こうして他の研究者の再分析を許すことで、政策立案者にとって有利な(あるいは不利な)研究結果だけが取り出されることがないように、反証可能性を保証する。

自然科学系とは異なり、このような研究は一件あたりそれほど費用がかかるものではない。年間二〇億〜三〇億円もあれば、さまざまな分野での政策評価研究が促進されるはずだ。そして、それぞれの研究成果が、次なる政策決定に役立つような仕組みを、審議会のあり方の検討を含め、別途立案する。

大学人も審議会の委員などのように、「学識者」として行政に関わるのではなく、政策評価という研究を通じて協力する関係をつくり出す。調査の方法には、フィールドワークやケーススタディーのようなものがあってもよいし、行政が集めた統計データの再分析や新たな質問紙調査などの数量的分析があってもよい。

こうした政策評価研究を基礎とすることで、御用学者のご都合主義もチェックできるし、ためにする反対論者のイデオロギッシュな批判にも対抗できる。必要なのは、知識を基盤とした政策決定（knowledge based policy making）のプロセスであり、それを可能にする情報の公開と研究の蓄積である。そして、政策の成果を分析的に評価した結果をわかりやすく公開することで、一般市民が行政や政治に対して行う評価・判断もより豊かなものになる。迂遠に見えても、改革や政策の論じ方を変えていくことが、改革を実効あるものに変える手立てとなる。それは教育に限ったことではない。

小泉首相、そして遠山敦子文科相、開かれた行政と「聖域なき構造改革」を有効にするための政策評価研究の創設、いかがでしょうか。

（二〇〇一年七月十日発表）

9　文科省に求められる制度の再設計

官僚主義的頑なさ

二〇〇二年度から実施される学習指導要領の問題点が、検定後の教科書によって具体的な姿を現した。台形の面積の公式や三ケタのかけ算をなくし、かつては発展的内容として人気のあった理科の実験なども容赦なく削られた。教育内容の三割削減がどのようなものか、でき上がった教科書がその問題点を如実に示していると、理科や数学教育の専門家からも批判の声が上がった。

これまで私は、実証的な研究の成果をもとに、教育改革の問題点を指摘してきた。「ゆとり」と個性尊重をめざす改革が進む中で、実際には子どもの学習離れが進行し、学習意欲や学習時間の階層差（どのような家庭に生まれ育つかによる違い）が拡大している。「ゆとり」や子どもの「興味・関心」に応じた教育も、いざ実践となると、勉強の価値を貶めたり、基礎基本を軽視したりと、条件整備や具体策の検討を欠いたために、改革の意図とは反対の結果を生んでいる。こうした事実をもとに私は、学力問題をかわきりに、教育改革の問題点を指摘してきた。

「学力低下」の声に応えるかのように、文科省も、少しずつ微妙にスタンスを変えつつある。「ゆとり」教育の見直しともとれる「指導要領は最低基準」との見解を出し、理解の早い子ども向けに教師用のマニュアルづくりもするという。だがそれは、取り繕いの弥縫策にしか見えない。そして、その原因の一端は、文科省の官僚主義的頑なさにある。

『教育白書』を通じ文科省はくりかえし子どもの学力は絶対に低下していないと主張してきた。低下の事実を認めれば、「ゆとり」教育のさらなる拡大をめざす改革にブレーキがかかる。教科書検定まで終わった段階の新指導要領を何としても無傷で実施に移すには、これまでのやり方に問題があったと認めるわけにはいかないのである。

ところが、文科省がどんなに否定しようと、文科省自身が行った調査がその見解を裏切る。文部省（当時）は九六、九七年に「教育課程実施状況調査」を実施した。なぜか報告書さえ刊行されなかった中学生調査の理科の結果を入手してみると、八三年に実施された同様の調査との共通問題の正答率が、明らかに低下している。「学力低下はない」との見解は、五万人近い中学生を対象に税金で実施され、指導要領改訂を決めた教育課程審議会に提出されたはずの調査によって裏切られるのである。それでも文科省は、「学力低下」否定の姿勢を崩そうとしない。

この調査で学力が本当に低下したか否かよりも、問われるべき問題の本質は、これまでの政策の限界を検証しないまま、「誤りはない」との前提から改革を続ける行政の頑なさにある。

納税者の声が届かない

同様に頑なな姿勢は、一方で「指導要領は最低基準」との見解を出しながらも、教科書検定の場では「○○は扱わないこと」といった「上限規定」としか読みようのない指導要領の記述を根拠に、最低基準の内容しか載せない教科書をつくったことにも現れている。国が学校で学ぶべき最低基準を提示することと、税金で無償配布される教科書の中身を最低基準だけに留めることとの間にはひらきがある。子どもが自ら学べるように、最低線以上の発展的内容を、それと明示したうえで教科書に残すことも可能だからだ。

しかも、文科省がいうように「全員が百点」をとれるレベルまで内容を減らしたのであれば、それ以上を求める生徒が出るのは避けられない。そのために、文科省は新たに税金で教師用指導書をつくると言う。「最低基準」との見解が出る前に「上限規定」を想定して書かれた指導要領を変えるわけにいかない以上、教科書での対応は不可能だからである。弥縫策としか見えないちぐはぐな対応は、無謬性《むびゅうせい》を旨とする官僚主義の頑なさが生むものだ。世論調査を見ても、いまや「ゆとり教育」への国民の声は、賛成から反対へと変わりつつある。世論の支持を支えに改革を進めてきたと文科省は言うが、それがゆらぎ始めている。ところが、国民（納税者）は既定の路線に変更を迫る術をもたない。指導要領も教科書検定のルールも法律ではなく省令によるのであり、文科省が委員を選ぶ審議会がその内容を決める。国民が選ぶ国会もあずかり知らない。だから政治もこうした問題を取り上げない。

安易な政治介入を防ぐことも重要だが、その結果、政策の問題点の検証もできず、弥縫策によってしか問題を回避できない官僚主義が温存される。冷戦とイデオロギー対立の時代が終わり十年以上も経つのに、教育の官僚主義的頑なさは依然根強く、納税者の声が届かない仕組みのままである。都市部の公立校離れはその反動とも言える。

四七年に出された最初の学習指導要領は「試案」と称され、各学校のカリキュラム編成の参考にするために大綱的な内容を示した。「最低基準」との見解は、この原点に戻ることではないか。それを起点に教科書制度の見直しを含め、納税者に開かれた制度設計のやり直しが早急に求められている。

（二〇〇一年五月六日）

10　一転「確かな学力」へ――「二分法」でいいのか

あたかも振り子のように

二〇〇二年四月から始まる学校週五日制とそれに伴う新しい学習指導要領の実施を前に、学力論議が再びメディアをにぎわせている。二〇〇二年一月には文科省がアピール「学びのすすめ」を出した。そこには「確かな学力の向上」を図るために、宿題や補習を奨励するなど、一見ゆとり教育の見直しともとれる見解が含まれる。

詰め込み教育、受験教育からの訣別を提言した中教審答申をもとに、「生きる力」の教育をめざした「総合的な学習の時間」が新指導要領に盛り込まれた九〇年代後半、メディアは教育改革の歓迎ぶり一色で染まった。そのころと比べると、隔世の感である。その意味で、教育改革への反省作用が働きはじめたことは、半歩前進だ。

だが、議論の多くは、いまだ「生きる力」か知識重視かといった二分法から抜け出ないように見える。文科省のアピールに対しても、学力向上と言い出した途端に、詰め込み教育に戻るのかといった反応が現れた。私自身、学力問題を皮切りに教育改革の批判的検討を行ってきたが、受験教育に戻そうとするのかとの誤解を受け続けた。総合学習などで実績を上げた優れた実践を否定するのかとも言われた。

一人ひとりの子どもや一つ一つの教室レベルの話ではなく、全国一斉に法的拘束力をもって導入される学習指導要領という制度のもとでの「生きる力」教育の実効性の話をしているつもりだった。だが、制度レベルの話はなかなか理解されない。

学力についての見方は振り子にたとえられる。「生きる力」に代表される体験学習を重視する主張と、知識重視の主張との間を、それぞれの時代の学力観が揺れ動く。だからこそ、振り子をどちらに引っ張るかをめぐる議論が幅を利かせるのだろう。この見方に立てば、現在、振り子は再び知識重視へと振れているかのようだ。

だが、学力論が振り子のように揺れ動いたとしても、それを受けとめる教育の現実は、すでに大きく変わってしまっている。つまり、振り子論では、こうした事実に目が届かないのである。

新たな格差が生まれる

正式発表前なので詳細は省くが、たとえば私たちが最近行った調査によれば、すでに小学五年生の段階で、生まれ育つ家庭環境の違いによって、家での学習時間、授業への取り組み方、学習意欲などに明確な差がある(その後、前掲『「学力低下」の実態』として刊行)。しかも「総合的な学習の時間」などでの調べ学習に積極的かどうか、グループ学習でまとめ役になるかどうかといった学習への取り組みにおいても、家庭の文化的環境の差が現れるのである。

つまりは、子どもが喜びそうな「楽しい体験」を与えれば、どの子どもの学習意欲も高まるだろうといった、「生きる力」や新学力観の前提は現実には当てはまらないのである。一般的な見方に反し、体験的な学習に現れる階層差という事実は、子ども一人ひとりと言いながらも、子どもの個別性に十分対応できない学校の限界を示している。

他方、「確かな学力」の向上へと文科省がどんなに旗を振っても、振り子のように、教育の実態はもとへは戻れないだろう。その背景には、地域や階層によって人びとの教育への関わり方が多様化している現実がある。学力向上のメッセージは、大都市部の新中間層にとっては、さらなる公立離れを促す警句に聞こえるかもしれない。塾や私学の少ない地方であれば、公立進学高校での受験補習の充実を正当化する根拠となるだろう。子どもたちの興味関心を重視し、「楽しい学校生活」に満足する人びとには、子どもが嫌がる勉強を学校が再び押しつけようとしているように見えるかもしれない。

要するに、振り子論者が心配するように、日本の教育全体が昔の受験競争に戻ることはありえない。戻る部分があったとしても偏りを持ってであり、むしろ、そこで生じる差異が、新たな教育格差の拡大につながる可能性がある。

学力から論じよう

今回のアピールを含め文科省が発する改革のメッセージは、教育現場ではリアリティーを欠いたトップダウンの言葉に聞こえるだろう。その理由のひとつは、多様化した現実を区別せずに、「個性尊重」のように一人ひとりを大切にしようとする教育で、あたかも多様性に見合った教育が提供できるかのような幻想にとらわれているからである。しかも、一人ひとりを大切にと言っても、それを可能にする資源も時間も教師には十分与えられていない。その結果、問題の個別対応ができなければ、個性尊重や子ども中心の教育は、地域格差や階層差といったカテゴリカルに生じる問題に目を向けないまま、教育における不平等とその結果生じる社会的不平等の拡大を容認することになる。

「学力」は教育の要に位置する。教育における格差や多様性の問題を含め、教員の問題も、教科書の問題も、学校組織の問題も、教育の成果とも言える学力という現象に現れる。だからこそ、どういう学力観に立つかではなく、学力という現象を通じて現れる教育の問題を基点に、改革の議論を一歩前に進めていく。学力について論じるのではなく、学力から論じていくのである。教育改革を混乱と困惑から救うためにも、「学力」の先にあるものに目を向けなければならない。

（二〇〇二年二月二十日）

11 「全国学力調査」から考える

階層格差の視点

二〇〇二年末に発表された文科省の全国学力調査の結果は、今後の教育改革にどのような影響を及ぼすのだろうか。独自に行った再分析を報告するとともに、その後の文科省の動きをふまえながら、教育改革の進むべき方向について考えてみたい。

すでに各紙が大きく報道したように、今回の結果は文科省が否定してきた「学力低下」を、文科省自身の調査が裏づけるものとなった。特に算数・数学の正答率の低下は、低下論争の中心的テーマだっただけに大きな波紋を呼んだ。遠山敦子文科相は結果を深刻に受け止めたようであり、発表時とは別に「大変な問題だ」とコメントしたと報道された。

問題なのは平均的な学力の低下だけではない。格差の拡大を伴いながらの低下に目を向ける必要がある。今回の報告を基に、正答率を百点満点において平均点が五〇点として換算し、教科別の散らばりを計算すると、小五の算数では、全体の約六八％の児童（標準偏差プラスマイナス一〇が四〇点から八二点までの間に収まる。ところが学年の上昇とともに格差が拡大し、中三になると、同じ割合の生徒が収まる点数幅は三四〜八六点と一〇点以上大きくなる。ちなみに国語の場合、小五では七〇〜九九点、中三でも五五〜八八点の幅に収まる。つまり、学力低下の見られた算数・数学の場合、他の教科よりもできる子とできない子の得点差が大きく、しかもその差が中学生になると拡大するのである。

深刻なのは、不得手な子が、よりできなくなる傾向を伴った学力の低下である。この点を見逃し、教育内容を削減したから「発展的な学習」で補えばいいといった方策一辺倒になると、格差は一層拡大するだろう。私たちの調査研究によれば、こうした格差の背後には子どもが生まれ育つ家庭環境の影響が絡んでいる。地域間の格差も重なっているかもしれない。

文科省報告書では触れられない、こうした格差問題にまで視線をのばさない限り、十分な政策的対応は取れないだろう。文科省は前回の指導要領の下での調査だから、新指導要領の問題点が明らかになったわけではないという。だが、今回の調査は二年間の新指導要領への移行期の最終段階で、先取り的に教える内容の削減も「総合的な学習の時間」も始まった時に行われた。その意味で、新指導要領の問題点がすでに表れていた可能性は否定できない。

現場に責任を転嫁するな

文科省では二〇〇三年三月末までに詳細な分析を行い、対応策を中央教育審議会等で検討するという。ところが、これまでの見解を見る限り、放課後の補習や発展的な学習の推進、宿題のすすめなど、学習指導の改善によって乗り切れる、と文科省はふんでいるようだ。おそらく調査結果の詳細な分析をしても、これまでの改革の問題点には触れず、各学校や教室レベルでの「創意工夫」という、学校現場の責任で解決すべきという方針を出してくるだろう。政策の当事者が、自ら政策を評価するのだから責任のゆくえも自らには向くまい。

他方、「確かな学力」をめざす一方で、文科省は、これまでのゆとりと生きる力の教育方針を変えていないと強調する。総合的な学習がめざす「新学力」に加え、できる子向けの発展学習、さらには基礎基本の徹底と、あれもこれもと学校への要望が増す。

国からの人的・財政的な援助はほとんど増えず、学校週五日制で時間という資源も削られ、そのうえテストで学校を評価。結果が悪ければ指導法の改善を求める。それができなければ現場の責任とされる。指導法で解決できる方策を文科省が追求する姿勢には、これまでの政策の不備を認めないまま、現場に責任をゆだねる構図が透けて見える。

これでは教育改革のねじれは解消されない。資源不足をそのままに、発展学習や基礎基本の徹底を求めれば、テストの点につながりやすい「学力向上」に走る学校も出てこよう。これでは「新」から「旧」へと学力の振り子が戻るだけだ。あれもこれもと言うなら、それを可能にする資源を増やすしかない。それなしに指導法の改善を求めても、学校現場は文科省を信頼し、改革への意欲を持ち続けるだろうか。

政策のどこに誤りがあったかに触れずに現場に責任転嫁するのか、さもなければ、誤り自体がなかったとするのか。学力低下の事実を素直に受け止めれば後者の道は選べないはずだ。文科省がこれまでの政策の問題点を直視しなければ、国民や現場から支持される改革の続行は難しいだろう。財政当局を説得することも難しくなる。政策評価の手がかりとして今回の結果を使えるかどうかに、文科省と教育改革の信頼回復がかかっている。

教育に限らず、中央主導の行政の仕組みが時代に合わなくなっている。学力調査の結果も文科省の対応も、その点をあぶり出したのではないか。格差拡大につながりかねない安易な「市場化」の波に押し流されないためにも公教育を地域サービスの本筋へと引き戻し、立て直す道を各自治体が探っていくしかない。責任を教室の中だけに閉じこめないためにも、学力の議論から、教育改革を誰が考え実行していくのかの議論につなげていく時期にきている。三億円以上の税金を使った学力調査だ。納税者として価値ある教訓を学び取りたい。

(二〇〇三年一月二十五日)

終章　隠された「新しい対立軸」をあぶり出す

二十一世紀初頭の日本という先進社会において、教育改革をめぐる議論が、「学力低下」論争という形をとって展開したことは、はたして偶然だったのだろうか。そこで問われたこと、問われなかったことの背後には、どのような問題群が潜んでいたのだろうか。

このような問いを立てたのは、今回の「学力低下」問題を、ホットな論争の舞台へと押し上げた時代の地殻変動が、どのような対立軸をはらんだものだったのかをあぶり出すためである。ここには、従来の教育論には収まりきらない、ことによると従来の教育論争の対立軸自体を無効にする論点が隠されている。それを明るみに出して、今論じることが、「教育と社会」の未来の選択をめぐる議論の出発点になる。こうした予感を持つからである。

とは言え、ここでは、時代の地殻変動を網羅的に扱うわけにはいかない。学力低下論争の形をまとって現れた教育論議に関係し、しかも、時代の構造的な変化と関わっている論点を取り出して、なぜ、そうした論点が見えにくいまま、論争が展開していったのかを解き明かしていきたい。

具体的には、私自身が提起してきた問題を手がかりに、なぜ、そのような問題提起をしてきたのかという、自問自答形式を取りながら、そうした問いの前で沈黙せざるを得なかった学力低下論争の限界と、そこに示された従来型の教育論の見通しの悪さを明るみに出せればと思う。

以下では、Q&Aの形式を取りながらの自問自答を通じて、どのような意図で、問題提起をしてきたのかを明らかにする。そのねらいは、私の意図を説明しながら、どのような問題群を、時代の変化のもとに見ようとしていたのかを示すことにある。

1　なぜ「階層化」が問題だったのか

福祉社会の転換と経済社会の変化

「分数のできない大学生」への関心で盛り上がりを見せた学力低下論争の中で、私自身は一貫して、単なる平均水準の低下ではなく、格差拡大を伴った低下、それも家庭的背景（社会階層）との関係を強めながらの「学力」低下について、問題提起を行ってきた。その意図は何だったのか。その真意について、まずは答えよう。

もちろん、これまでにもたびたび指摘してきたように、教育の不平等が、子どもが社会に出てからの不平等につながり、しかも、それが今後さらに拡大するのではないか、との見通しのもとでの問題提起であったことは言うまでもない。日本を含めた先進社会の趨勢を見ても、雇用機会の不安定化や所得の不平等化が進んでいると言われる。とくに、教育との結びつきを強める形で、学歴間の賃金格差が拡大しているアメリカのような社会もある。「知識を基盤とした経済」へと産業社会が変化していくことを見れば、教育の初期段階で生じる不平等の拡大は、これまで以上に無視できない社会政策上の課題となる。日本ではほとんど政策論議の対象とされることさえなかった教育における不平等問題に、なんとか関心を向けてもらおう。そういう意図を強く持っていたのである。

「知識を基盤とした経済」社会への移行が進む中、従来型の福祉国家がもはや財政的にも維持できなくなることは、すでに多くの論者が指摘するところである。日本においても、公共事業に依存した従来型の再分配政策は限界に達している。さらには、フルタイムとパートタイムの仕事の分化が進み、パートタイムの仕事の割合が増えると同時に、フルタイムの仕事との待遇面の格差も拡大しつつある。雇用の流動性の高まり、と言えば聞こえはいいが、雇用の不安定化が強まっているのである。

「フリーター」と呼ばれる若年雇用不安定層が増えていることは周知の事実である。近年では、二十代のフリーターが二〇〇万人にも達しているとする推定もある。十年後、二十年後にこうした若者がどのような社会経済的地位にあるのか。社会全体の不平等の拡大につながる可能性は否定できない。ところが、雇用の不安定化が問題になる場合でも、こうした若者たちが「誰なのか」、どのような家庭環境で育った若者なのかは、ほとんど注目されることがなかった。

調査データをもとに調べていくと、出身階層との関係や、中学、高校時代の成績との関係が見えてくる。「フリーター」は、若者たちの自由意思による選択の結果とばかりは言えない。そこには、上級学校への進学ができないといった家庭の経済力の影響や、学校での勉強がわからなくなり学習から早期に降りてしまう結果としての、やむを得ざる「選択」という面がある。その意味で、社会階層や「学習の失敗」の影響を受けた「排除（exclusion）」の現象としての側面を持っている。

このように見ると、教育の初期段階で生じる学習の失敗を、できるだけ防ぐことが、教育政策にとって重要な課題となる。小学校段階から授業がわからなくなれば、学年進行につれて、学習意欲が萎えていくのはあたりまえのことだ。授業がどれだけわかっているのかが、学習意欲を高める重要な要因であることは、すでに私自身の分析によっても明らかとなっている。そうだとすれば、どんな家庭に生まれ育つかの影響を受けつつ発生する、教育の初期段階の学習の失敗は、その後の負の連鎖の出発点になる可能性が高い。教育政策が、雇用政策と結びつきながら、福祉の問題とも関わるというのは、このような連鎖を念頭に置いているからである。

「知識を基盤とした経済」社会と福祉国家の変化を視野におけば、それゆえ、教育を人びとの「人的資本」増強を図る政策的手段として見直そうとする。そういう動きが、先進諸国で起きている。

世紀の変わり目は、経済や雇用のシステムと福祉政策の変化を伴うものであった。そこでは、各個人の雇用能力(employability)、すなわち、労働市場における市場価値を高めることが、失業や貧困を防止し、社会経済的格差を拡大させない政策的チョイスとなる。イギリスのブレア首相が、最優先の政策課題は三つあるとして唱えた、「教育、教育、教育」という教育政策の重視も、福祉社会の転換と経済社会の変化を見越してのことであった。要するに、福祉社会論の視点から人的資本論を読み直す議論が広まっているのである。

「経済への従属」という反発

ところが、日本の教育界では、教育を人的資本と結びつけて論じることは長い間タブー視されてきた。いや、いまだにタブーだと言ってよいだろう。「人的資本論」は、人格の完成をめざした人間教育を資本や経済に従属させる「人材論」でしかない。そういう見方が幅を利かせてきたのである。

ここには、日本の教育界の不幸な歴史がある。一九六〇年代以来の、「能力主義的差別選別教育」観を引きずったまま、日本の教育論議は、教育と雇用との関係を直視しようとしてこなかった。人的資本の増強が新しい福祉社会の可能性に結びつくことさえ、日本の教育界ではほとんど無視されてきたのである。このトラウマを引きずったままでは、社会政策としての教育の役割を狭めてしまう。経済や雇用問題との結びつきを避けてきた従来型の教育論では、時代の変化に対応した教育政策は構想できない。それゆえ、学力低下論が、経済や産業との関連で「国力の低下」を指摘すると、そこに過剰な反応を見せ、教育の独自の価値を強調する主張へと舞い戻ってしまうのだ。そのために、教育を通じて人的資本を高めることが、雇用政策や福祉政策の手段となりうることには議論が及ばなくなる。甘美なヒューマニズムに酔い、経済や産業との結びつきを忌避しすぎる日本特有の教育論の限界である。

しかし、人びとが職業を通じて生活の糧を得ていること、そうした職業生活の元手＝資源として、大人になるまでに学習した知識や技能が重要であることは、現実を見る限り否定しようがない。教育にはそれ以外の人間形成の役割があることは間違いない。だからと言って職業や雇用機会との結びつきを否定したり、軽視すれば、社会政策としての教育への注目の幅は自ずと限られてしまう。

人的資本論は、個人の側から見れば、学習経験を雇用能力へと結びつけ、学習者が自らの意思によって「資本」増強を行える点を強調する理論である。と同時に、人的資本が人びとの生活上のチャンスに結びつくと考える以上、その元手となる学習の機会を社会がどれだけ提供しているのかという論点も引き出されてくる。

社会経済的な格差をあまり拡大しないように、社会はどのような教育機会を提供すべきなのか。そうした機会に人びとが接近できているのか。人的資本への着目は、教育と雇用との結びつきを前提に、人びとのライフチャンスの改善に結びつく議論を提供してくれるのである。

ところが、人的資本論を、経済への教育の従属としか見ない日本では、こうした読み替えの議論も起こらない。しかも、日本では、「学校で学ぶ知識は、受験に役立つだけで、社会に出たら役立たない」といった見方や、「学歴は肩書きだけで実力を伴わない」といった見方が幅を利かせてきた。さらには、どのような内容の学力であれ、その格差を取り上げること自体、差別感を子どもに与えることだと見なしてきた（拙著『大衆教育社会のゆくえ』で詳論した）。日本の教育論は、新旧の学力を問わず、それらの格差の問題を雇用や経済生活と結びつけて論じることを遠ざけてきたのである。

それゆえ、これまでの教育論議を下敷きにすれば、学力低下論争にも、「誰の、どんな学力が低下しているのか」という論点は入ってこない。新旧いずれの学力であれ、学習の成果にどのような格差が生じているのか。しかもそれが、子ども自身が選び取ることのできない家庭環境の影響をどれだけ受けているのか。こうした論点を提示しない限り、新旧どちらの学力観に立つにせよ（私自身はこうした二分法自体を無意味だと主張してきたが）、教育改革が、将来、どのような社会・経済格差の形成や是正につながるのかは視野に入ってこない。とくに、後で詳しく見るように、「新しい学力」と呼ばれるものが、知識を基盤とした経済社会での雇用能力と結びつく度合いが大きいと見なすのならば、なおさらのことである。そうした学力が、家庭環境や学校の教育力との関係のもとで、どのように形成されているのかに目を向けることが必要になってくるのである。

「よりましな不平等社会」を受け入れる

実は、こうした論点の提供は、私にとって、平等な社会をめざすことを意図してのことではなかった。私自身としては、「よりましな不平等社会」という問題提起への助走路であった。

いかなる教育を提供しようとも、教育を通じた社会の平等化が困難な課題であることは、これまでの先進諸国での経験や実証研究によって明らかになっている。こうした実態を無視して、教育によって平等な社会が実現できると主張しても、それもまた一種のユートピアでしかない。むしろ私としては、横並びの同調主義的な日本社会の行き詰まりをうち破るうえでも、インセンティブの枯渇しかけた経済社会を再活性化するためにも、ある程度の社会の不平等化は避けられないと思っている。

より大きなチャンスを与えられることになる人びとを「エリート」と呼ぶかどうかはともかく、能力や業績に応じた処遇の広がりを、どのような社会的合意のもとで認めていくのか。そろそろ日本でも、こういう問題を真剣に論じ始めなければならない時期にきている。

しかし、このように言ったからといって、既存の不平等をなすがままに受け入れようというのではない。「よりましな不平等社会」を私たちが受け入れるためには、機会の均等政策（画一教育への逆戻りではない）や所得再分配の政策などが必要なことは言うまでもないからである。

どのような不平等なら私たちは受け入れ可能なのか。この問題を考える際に、教育の初期段階、それも義務教育の段階で身につけるべき基本的な能力の格差が広がったり、その結果として、それ以後の学習意欲が早期に衰退したりすることは、できるだけ避けるべきである。機会の均等を実現するうえでも、教育の初期段階での格差拡大は、大きな足かせとなる。だから、義務教育段階の公立学校の役割について、学力格差の拡大と絡めて指摘してきたのである。

別の本で指摘したように、「下に手厚く」の原則を強化すれば、ある程度の格差は縮まるかもしれない。それでも格差はなくならないだろう。にもかかわらず、私たちの社会が、それでも残る不平等状態にどのように取り組もうとしているか。実態に基づき、そうした事実関係を検証し、その結果をもとにどういう不平等なら受け入れざるを得ないかを論じていくこと。それが「よりましな不平等社会」を実現するための最初の、そして不可欠のステップとなる。

こうした問題を論じようともせず、それでも実際には不平等が拡大していく社会より、事実関係と論点を明示したうえで、正面からこの問題を論じ対応策を考えていく社会のほうが私は健全だと考える。その意味でも、雇用能力の形成につながる、教育における格差問題は、無視できないのである。

私自身単純な学力の二分法には立っていないが、この論点は、新旧いずれの学力においても当てはまる。しかし、とりわけ重要なのは、新しい時代や社会が要請すると見なされている、「自ら学び、自ら考える力」の格差問題である。教育改革者の言にしたがえば、知識を基盤とした経済社会を生きていくうえで必要とされる、この「新しい学力」においてこそ、格差問題は将来の社会のありようを左右する可能性が高いからだ。

ところが、このように「新しい学力」の格差という問題を提起してみると、奇妙なことに気づく。教育界の議論では、「知識の量」と見なされてきた「旧学力」に比べ、新しい学力の形成に対しては、格差の問題はまったくと言ってよいほど注意が向けられていなかったのである。

旧来の学力(学業成績)に階層差があることについては、これまでの研究が明らかにしている。それゆえ、ある程度教育界でも知られるところである。それに対し、新しい学力においては、そこに格差が生じることには、まったく不用心だった。私たちが問題を提起する以前には、日本において、「新しい学力」の階層差や格差という問題自体がまるで存在しないかのように無視されていた。にもかかわらず、旧学力の格差拡大と併行して、新しい学力にも社会階層間の格差が存在している(前掲『調査報告・「学力低下」の実態』を参照)。

このような議論の空白、すなわち、「何が論じられなかったか」から見えてくるのは、「新しい学力」を大衆的な規模で実現しようとする、(ある点では日本的とも言える)平等化あるいは大衆化の圧力である。そして、それを支えているのが、日本的な「大衆教育社会」(拙著『大衆教育社会のゆくえ』参照)である。

「自ら学び、自ら考える力」をできるだけ多くの人びとが身につける。それが、これからの時代にとって重要なことは論を俟たない。ただし、こうした「新しい学力」にも、いくつかのレベルの違いがあるはずなのに、それは論じられない。教育改革の提唱者の主張には、こうしたレベルの違いを無視して、誰にでも「新しい学力」が同じように身につくはずだという思いこみや期待——それゆえ、そうした期待を誰にでも当てはめようとする大衆化の圧力が暗黙のうちに備わっている。

一例として、数学と「新しい学力」とを比べることで、この点を検討してみよう。

たとえば、数学であれば、日常生活で使いそうな四則の計算能力から、大学の工学部レベルで必要とされる微分・積分のレベルまで、私たちの社会は知識や能力に階層性があることを広く認めている。そして、誰にでも工学部レベルの数学力が身につけばよい、といった政策は採っていない。基礎的な数学の知識や技能を身につけるところまでは義務教育の課題とされるが、その場合でも、できる生徒とできない生徒の差があり、その差に応じて、より上級の数学を履修するかどうかを分け隔てることを認めている。もちろん、こう言ったからと言って、排除と選抜の論理だけで数学教育が行われているわけではない。ある程度の基礎さえ身につけておけば、必要だと感じた時に学び直せる、そういう基礎的な数学の力をできるだけ多くの人びとが身につけられるようにしようという政策を考えることができるからである。

それに対し、「新学力観」型の教育については、このようなレベルの違いや、それに応じた分け隔てということは、まったく論じられることがない。実際には、「自ら考える力」と言っても、問題発見能力、問題解決能力といっても、それぞれの知的水準に違いがあることは明らかだ。小学校レベルで身につけた「調べ、考える力」と、大学や大学院レベルのそれとの間には大きな開きがある。いくら小中学校で「総合」の時間を体験したからといって、それだけでは、より高度な問題解決の場面に立ち向かえるわけではない。知識不足という知識の量の問題と関連しながら、複雑な問題を解いていくうえでの「考える力」にも、階層性＝レベルの違いが存在するのである。

それだけではない。社会に出てから必要とされる、こうした「考える力」についても、職業によって、さらには、職業的な地位によって、レベルの違いがある。個人の間にも差がある。判断力や創造力にしても同様である。こうした差異がないのであれば、誰にでも複雑な問題の解決をまかせることができるだろう。ところが、実際の社会生活においては、そうはなっていない。それというのも、教育論の建前とは違い、新しい学力観が育てようとする能力にも、階層的（ハイアラーキカル）な差異が存在するからである。

大衆規模での壮大な実験

このような「考える力」の格差を、できるだけ縮小しようとするか、縮小不可能として放置するかは政策判断の問題である。ただし、いずれにしても、格差の存在を認めるところからしか、議論は始まらない。格差の存在を否定してしまえば、問題そのものが存在しないことになる。これでは、私が『大衆教育社会のゆくえ』で明らかにした、差別選別教育観が不平等問題を忌避し、隠蔽するようになった構図と同じである。

いや、まさに同じことが、今度は、「生きる力」や「個性尊重」の教育においても生じている。ただし、違いもある。そして、この違いは、時代の地殻変動の中でより一層重要な意味を持つ、と考えられるのである。

その点を次に説明しよう。

個性主義の教育や「新しい学力」の教育においては、知識の量で計られた「旧学力」以上に、理想主義やロマン主義が入り込みやすい。それだけ、人びとが現実から目を背けたくなる輝きを持っている。しかも、「自ら考える、自ら学ぶ」という表現が示すように、「自己」を起点においた学習観・学力観をもとにしている。そのために、「個性」と同様に、個別性や主体性(「一人ひとりのよさや可能性」)が強調される。その結果として、実際には他者からの評価にさらされ、市場的な価値を付与されることになる能力の形成であるにもかかわらず、序列化を忌避する「一人ひとりのよさ」という「個別性」の論理を強調することで、そのことが忘れられてしまうのである。「人それぞれの価値」といった理想の前で、「自ら学び、自ら考える力」もまた、(受験があろうとなかろうと)社会に出てから評価の対象とされ、異なる価値が与えられることになる現実が隠されてしまうのである。

このように見てくると、「新しい学力観」以後の教育改革の理想主義の問題点が見えてくる。新しい学力観では、「いかに社会が変化しようと、自分で課題を見つけ、自ら学び、自ら考え、主体的に判断し、行動し、よりよく問題を解決する資質や能力」（教育課程審議会答申）の重要性が強調されてきた。こうした能力は、ひと時代前であれば、あるいは他の国であれば、少数の「エリート」対象の教育目標として掲げられていた能力とほぼ同じである。このような能力が、より多くの人びとにとっても重要な時代が到来していることは間違いない。しかし、だからと言って、誰にでも、同じように身につけることのできる能力だと考えることができるかどうか、そのために具体的にどのような施策を講じるかは別の問題である。

ところが、日本では、こうした、より高度な要求を突きつけるはずの教育を、大衆的な規模で、学習指導要領という法的拘束力を持った制度を通じて、全国一律一斉に始めたのである。このような試みは、子ども中心主義教育の本家と言われるアメリカやイギリス（これらの国の教育は地方分権による）にも例を見ない、壮大な実験である。しかも、その実現可能性には目が向けられない。格差問題も取り上げられない。公立の小中学校だけで六五万人もいる教師たちに、「自ら学び、自ら考える力」の教育を一斉に行わせようとする根拠は、その実現可能性や、それが引き起こすであろう「犠牲」と引き比べた時に、あまりに脆弱な印象

論的文明論にとどまっている。(注1)

このように国民的な規模で奇妙で壮大な実験が敢行されても、異論さえ出てこなかったのである。その理由は、教育改革が掲げた理想の輝きに人びとが惹かれたというだけにとどまらないだろう。あるいはそれ以上に、新しい学力観の教育が(日本的な)平等主義に支えられていたからではないか。

どの教師によっても、どの子どもに対しても、「新しい学力」を育てる教育実践ができる。エリートの資質と考えられてきた、より高度な知的能力を大衆的な規模で実現する、そのためには、多少の知識の伝達を犠牲にしてもかまわない——少数のエリートを対象とした教育であれば、知識の基盤の上に立って、それを前提に、より高度な思考力を育む教育を展開できるのだろうが、そうした選抜的・特権的な教育制度を選ぶわけではない。理想の教育を、誰にでも分け隔てなく供給することを、その実現可能性を脇に置いて無邪気に進めてきた私たちは、まさに日本的な平等観に後押しされてきた、と言えるのではないか。

その結果、日本的平等主義のもとでの「新しい学力観」の教育は、誰にでも当てはまる望ましい教育を想定するだけに、その中身を具体的なものとして提示できない。どんな批判力、どんな判断力、どんな構想力を持った個人を育成するのか。その中身と実現のための手段とを現実的に構想していくためには、このような能力にもレベルの違いがあることを認めざるを得ないだろう。しかも、「新しい学力」の形成には階層間格差が生じているのである。違いから目をそらしてしまっては、特定化や具体化はできない。生徒によって異なる必要性に応じた対応策をとることができなくなるからだ。それも無視して、どの子どもにも同じように調べたり、考えたり、発表したりする教育を行っていけば、ますます「新しい学力」の階層差が拡大していくだけだろう。

新段階に入った大衆教育社会

素朴にすぎる「新しい学力観」による改革は、「自ら考える力」の教育を大衆的な規模で実現させせようとした壮大な実験である。この変化は、新たな段階へと進んだ、大衆教育社会の深化を示している。

この問題を突き詰めていくと、多くの人びとにとって基礎となり、平等に提供すべき「基礎教育」と、より高度な内容を伴った「エリート教育」との対立の図式が浮かんでくる。この対立軸を明確に示して論じることをタブー視してきたところに、大衆教育社会の特徴がある。それゆえ、問題を明示しないまま、実態としての「新しい学力」の階層差が生まれるという、前著で指摘したことと同じ問題が、さらに輪をかけて隠蔽される形で生じてしまうのである。何が論じられないのかを引っ張り出して、議論の俎上に載せることでしか、公論は始まらない。いい、悪いの判断は別として、こうした論点を取り出すことが、教育の論じ方を不毛にしないために必要である。だが、そのことに蓋してしまうのが、大衆教育社会の圧力なのだ。これでは社会の選択肢が人びとに明確に示されることはない。

この新段階の大衆教育社会では、「自ら考える力」だけにとどまらず、「自己実現」も「個性」も、大衆的な規模での実現がめざされている。しかも、そこで生じる自己実現や個性の発揮のチャンスに格差が生じる可能性や、そうした格差が新たな問題を生み出す可能性には目が向かない。その点でも、私が明らかにした前段階の大衆教育社会と同様である。

自己実現を例に論じてみよう。そもそも、「自己実現への欲求」という考え方を示したA・H・マズローは、言わば人生の達人たちの観察から、自己実現について考えるに至った、と言われる。マズロー自身の言葉を引けば、「自己実現は、ごくわずかの人にとって、比較的達成された『事態』である」。したがって、そう簡単に到達できるものでも、誰にでも手の届くところにあるものでもなかったのである。もともとは、至高の価値と言える段階に設定されていた概念である。「大多数の人にとっては、むしろ希望、あこがれ、衝動、求めてはいるがまだ達成されない『もの』なのである。だから、自己実現を求める欲求をマズローは問題にしたのだった（以上はマズロー著、上田吉一訳『完全なる人間』による）。

しかも、忘れてならないのは、「自己実現」した人びとの生活歴を研究する例として、マズローは、「ことに芸術家、知識人その他のとくに創造的な人びと」をあげている点である。これらの例から推測できるように、自己実現とは、ある意味では、高度な自律性や創造性を備えた職業人に特徴的な特性だと言ってよい。その意味で、決して階級フリーな考え方ではない。到達可能な職業のチャンスによって、自己実現のチャンスにも違いが出てくるのである。

ところが、もともとは人生の達人や偉人たちの経験から抽出された、人生のステージをとらえる考え方が、教育の世界で使われるようになるや、希釈され、一般化され、俗流化していく。教育機会の拡大とともに、個性尊重＝自己重視の考え方が強まっていくと、差別や選別を嫌う日本の学校ではなおさらのこと、自己実現をめざす機会をすべての子どもに与えるべきだとなる。こうして自己実現欲求の俗流化と大衆化が進んだのが、新たな段階に到達した日本の大衆教育社会である。

しかし、自己実現欲求を満たせるような職業機会のほうは増えていかない。それどころか、近年の不況は、そうした機会を若者からさらに奪っている。「自分らしさの追求」や自己実現という欲求は強化されるのに、それを達成する手段が社会に十分提供されていない。欲求は高まっているのに、その手段が与えられない状態を社会学者は「アノミー」と呼ぶが、自己実現をめぐっても、まさに「自己実現アノミー」が生じている。一方に若者たちから望ましい仕事を奪う経済社会の変化があり、他方に、分け隔てなく自己実現の欲求を若者たちに与えようとする大衆教育社会の深化がある。この両者が交差したところに、自己実現アノミーは生じる。そして、この自己実現アノミーに陥る可能性は、出身階層の影響を受けながら、教育における「学習の失敗」と関係しているのである。

2　なぜ「子ども中心主義」教育が問題なのか

「個人」と「自己」の違い

二つ目の論点は、なぜ「子ども中心主義」と呼ばれる教育を問題にしたのかをめぐるものである。そして、この論点は、先に述べた「自己」を起点におく教育の大衆化がもたらす問題群と関係する。

子ども中心主義の教育とは、学習者である子ども自身の「主体性」や「関心、意欲」を重視し、体験活動などを通じて、「自ら学び、考える力」や問題発見・問題解決能力や創造力を育成しようとする教育の考え方である。「生徒一人ひとりの興味・関心に応じた『自由な』

学習を展開することにより、教師と生徒とがともに学んでいく、生徒自らが何が必要な知識かを選び、自らがその知識を探しだしていく、そこにおいて教師は『援助者』としての役割に徹することが求められる」(拙著『教育改革の幻想』)ところに、子ども中心主義教育の特徴がある。

このような子ども中心主義教育の問題点については、すでに『教育改革の幻想』において指摘した。ここでは、なぜ、ことさらに「子ども中心主義」として日本の教育改革の動向をとらえ、その問題点を指摘してきたのかを解き明かしながら、その背後にある問題群に光を当ててみよう。

子ども中心主義の教育を、学力問題に絡めて議論の俎上に載せた意図は、そこに、「個人」と「自己」をめぐる問題が潜在していると見たからである。たんに子ども中心主義教育の失敗が、学力低下をもたらすと主張したいわけではなかったのだ。

「自ら学び、自ら考える」力の教育や生徒自身の関心や意欲の重視に見られるように、子ども中心主義教育は、それぞれの子どもの自発性や「内発的な動機づけ」を主軸とした教育論である。それは、一人ひとりの学習者として、子ども自らが興味を持ち学びたいと思うことを教育の中心にすえようという原理に立っている。突き詰めて言えば、「本当の自分」が学びたいと思うことを大切にしようという教育である。その意味で、「本当の自分」(難しい表現を使えば、自己の真正性）を前提としている。

以下の議論をわかりやすくするために、ここで、私の考える「個人」と「自己」の違いについて簡単に説明しておこう。この違いを明確に区別して論じてこなかったところに、これから述べる子ども中心主義教育の気づかれざる問題点があるのだが、それを理解するためには、まず、「個人」と「自己」の違いについてわかってもらうことが必要だからだ。

以下の議論では、個人とは、社会のひとつのユニットと考える。まさにそれ以上は分割できない存在としての個人（individual）は、私たちが生活する近代社会の基本的で、重要な単位＝ユニットである。社会のユニットとしての個人を、さらにここでは、機能的な存在と考える。要するに、社会をつくり上げるうえで、それ以上は分割できない単位としてさまざまな社会的な役割を担うことになる単位だということである。

例をあげよう。民主主義という制度は、一人一票を原則とする。この一票は、年齢の下限は設定されているものの、誰にでも同じ一票を与える。お金や地位や権力にもよらず、知識の量も、「生きる力」も関係ない。これ以上は分割できない存在として、政治の世界で個人は、自分の判断で投票行動を行うことを期待された一単位だということだ。人びとや自分が自分自身のことをどう思おうと、どう見なそうと、この面での個人のひとつのユニットとしての役割ははっきりしている。

もうひとつの例は、職業人としての単位である。経済活動のひとつの単位として、個人は、やはりそれ以上分割できない存在として私たちの社会に組み込まれている。職業に就いて、所得を得て、税金を納める。こうした経済活動、雇用の対象としても個人がひとつの単位となっている。Aさんの働きに対しては、Aさんの賃金が支払われる。これもまた、自分をどんなふうに見るのかとは関わりなしに、自分のイメージとは関係なく経済の仕組みのもとでこれ以上分割できない単位と見なされている。

これら政治や経済の例をあげたのは、そこでの個人は、それぞれ自ら機能を果たしうる「力能」を持っていると見なすことが大事だからだ。それぞれの「力能」(能動的に働きうる力)に応じて、政治的な役割を担ったり、経済活動に貢献したり、またそれらの結果として何らかの報酬を得たりする。このような個人を単位にして、私たちの社会は成り立っている(ことになっている)。

このように、社会の機能的な一単位として考える「個人」に対し、「自己」はもっと文化的、社会・心理的なものだ。自分という存在を自分自身がどのように見なすか。自分とは何かをどうやって表現するか。自己をめぐる問題は、こういうことに関係している。自分のあり方が大事になったり、自分らしさが大切にされるというのは、先に述べた「個人」の役割や「力能」とは一応切り離して考えることができる。「自分らしさ」や「本当の自分」という時の、「らしさ加減」や「本当さ加減」は、政治や経済の一単位としての個人の「力能」の問題とは別物だと考えるのである。

しかも、少し考えてみればわかるように、「本当の自分」と言っても、そういう自己に対するものの見方は、あたりまえの見方とは言えない。「本当の自分」というものがあるという考え、さらには「本当の自分」を見つけたほうがいいという考え、もっと言えば、そういう「本当の自分」を根拠に、自分らしさを大切に何かを選択したり判断したりすることが、とても望ましいことだとする考え、こういう考えは、ある時代のある社会でつくられ、広まっていったものである。決して、どの時代にも、どの社会にもあてはまる、あたりまえの考え方ではない。

このように「自分のありかた」を「自己」の問題と見なせば、先ほど述べた「個人」の問題と区別できる問題群がありそうだということが少しはわかってもらえるだろう。

公教育に個別化した対応は不可能

話を教育に戻そう。

「新しい学力観」以来の教育改革を支えた教育観は、『教育改革の幻想』で論証したように、ここで言う「本当の自分」を大切にしよう、それを出発点に教育や学習について考えていこう）教育を変えていこう、という思想（子ども中心主義）に根ざしていた。たとえば、なぜ勉強するのかという問いに対し、「自分が学びたいから」とか「自分の興味や関心にかなっているから」と答えるのが、この系列の考え方では、〈正しい〉とされる。それとは逆に、「受験で成功したいため」や「親や先生にほめられたいから」という答えは、あまり好ましくないと見なされる。つまり、単純化して言えば、自分（自己）の外側から、与えられたり強制されたりするよりも、「本当の自分の内なる声」にしたがう行為を、より望ましいと見なす見方である。その意味で、突き詰めれば、「本当の自分」という自己の真正性（本当の自分であることの本当らしさの優越性）を前提にした議論である。

このような考え方は、外側からの働きかけを、介入や管理と見なし、「抑圧」として嫌う見方に通じている。なるほど、もっともな見方である。誰しも、他人から強制されて何かをやるより、自分がやりたいと思っていることを、自分がやりたいようにやるほうがよいと思うだろう。「本当の自分の内なる声」を正しさの判断基準におく考えは、個人の人権が尊重される時代にマッチした考え方でもある。また、「自己責任」を重視する時代の文化的反映でもある。アメリカを中心に進む文化変容のひとつは、個人主義の思想が、こうした自己の真正性に傾斜しつつあることだ（注2）と言われる。つまり、日本だけの傾向ではないのである。日本の教育界の「新しい学力観」が、指導者ではなく「支援者」としての教師像を理想と見たのも、外部からの介入をできるだけ避けることが望ましい教育だという、この「本当の自分」を大切に、という思潮に裏打ちされていたからだ。

このようなことが好ましいとされるのは、教育の世界だけに限らない。「本当の自分」が発する「内なる声」にしたがうことを〈正しさ〉や〈望ましさ〉の根拠と見る見方が、教育の場面によらずに社会的な支持を受けている。「自分らしさ」を発揮できる職業に就くことが望ましい、といった職業観はそのひとつだ。

教育の世界では特に「自ら学ぶ」とか「関心、意欲」や「自己実現」「自己理解」といった用語の普及によって、こうした「内なる声」の正しさ、望ましさを支える、「自己の語彙」(自分を起点に物事を考えることをよしとする言葉の数々)をたくさん用意してきた。こういう語彙が増えていくことは、私たちが、そうした自己のあり方を望ましいこととして認め始めていることの証拠である。同時に、そうした語彙によって、私たちは、その望ましさをさらに認めるようになる。そういう循環の関係をつくり出している。

さて、それでは、こうやって「個人」と「自己」の区別をしたうえで、いよいよ子ども中心主義教育の問題点に切り込むことにしよう。

「本当の自分」を起点において、教育をつくり上げようという発想は、一見好ましいように見えるが、それを公教育という制度に乗せようとしたとたんに、困難な問題に直面する。根本的な矛盾と言ってもよい。それは、税金によって運営され、それゆえ、一定の社会的な合意を前提に、教育内容や教育の資源配分を決定したうえで集合的に行われる公教育という営みと、ここで言う「本当の自分」を尊重しようする教育とは、原理的に相容れないものだ、ということである（この点は、市川昭午『未来形の教育』〔教育開発研究所〕の議論を参考に発展させたものである）。

「子ども一人ひとりのよさや可能性」（教育課程審議会答申）を尊重する教育は、百人の子どもがいたら百通りの「よさと可能性」を尊重した教育をめざすことになる。だが、果たして学校にそんなことができるのか。それが原理的に不可能なことは、論証するまでもない（百人分の本当のよさや可能性を発見すること自体、無理なことだ）。

ところが、この論理的な矛盾を曖昧にしたまま、できるだけ子どもの主体性を尊重した教育を行おうとする。そうなれば、当然のことながら、学校や教師が見なす限りでの「よさや可能性」を生かした教育にしかならない。

社会の維持、存続にとって必要だという合意のうえに、伝達されるべきとされる知識やスキルを、税金を使ってできるだけ多くの子どもに身につけさせようとする。これが公教育の基本的な役割である。この役割をはずしてよいのであれば、公教育は必要なくなる。つまり、一人ひとりの子どもの「本当の自分」を大切に扱うレベルにまで、公教育には個別化した対応は求められていないのである。いや、そもそも「本当の自分」というフィクションを相手に、税金を使って巨大な学校システムを動かすことなど無理なばかりか、まやかしでしかない。(注3)

それが無理とわかっているから、実際には、学校や教師が認める限りでの「よさ」や「個性」や「意欲、関心」しか取り上げないのだ。私は、この限界を非難しているのではない。そうではなく、このような妥協策を採らざるを得ないにもかかわらず、こうした限界や制約の問題点を見過ごした改革論が横行することが問題だと言いたいのである。

それでは、ここにはどんな問題があるのだろうか。

最も重大な問題は、「本当の自分」を正しさの根拠におく教育が、成人後の自立した個人の形成に結びつくとは限らない、それなのに、その可能性と限界については、議論が行われなくなることである。つまり、先に述べた「個人」の力能の形成にとって、「本当の自分」を中心にした子ども中心主義の教育が、有効な手段となりうるかどうかという議論を抜きにして、「子どもの主体性」を尊重すれば、そのことがそのまま「主体的」な個人をつくり出すことになるという、あまりに楽観的な見方が、現実的な議論を阻んでしまうのである。

それとは逆に、ある発達段階までは、個人に介入したからと言って、成人後の「個人の自立」が阻まれるとは限らない。むしろ、個人への適切で適度な介入は、「個人」の形成にとって不可欠と言ってよいだろう。ところが、「本当の自分」(自己の真正性)を尊重することと、自立した個人の形成とを素朴に結びつけてしまう子ども中心主義の教育は、結果として自立した個人が形成されないとしても、その原因をつきとめることを封じてしまう。外部からの抑圧や介入を嫌う大人たちの感覚が、そのまま子どもの教育に投影されるからなのだろうか。教育とは、本質的にそうした介入や抑圧を含む営みであることを忘れて、妥協の産物でしかないカギカッコ付きの「子どもの主体性の尊重」が、そのまま大人になった時の「主体性」を保証する教育だと勘違いされるのである。(注4)

ナショナリズムから批判される子ども中心主義

このように見ると、「個性尊重」の「ゆとり」教育を、「ゆるみ」と見なして批判する主張が、社会奉仕義務化の考え方の形をとって現れた理由を説明することができる。

『ゆとり』教育は、『学力低下』によって国力を衰退させるだけではない、行き過ぎた自己中心的な個人主義を推し進めることによっても、国家に危機をもたらす」——一部の学力低下論者の主張に見る国家という共同体への回帰は、なるほど、自己と社会の結びつきについての子ども中心主義の弱点をついている。「本当の自分」を出発点におく子ども中心主義は、「自己」と「個人」とを区別できない。「本当の自分探し」をいくらやっても、社会の一単位としての「個人」が鍛えられるわけではない。「自分の興味、関心」にしたがって学んでいくことが、どうやって「社会」につながっていくのか。その道筋も見つからない。つまり、社会の一単位としての個人の力能を高める教育と、「本当の自分」を大切にする教育とを、疑いもなく結びつける傾向が強いために、「本当の自分」と社会とを橋渡しする術を提供できないのだ。

それに対し、教育改革国民会議の議論に典型的に見られた社会奉仕の義務化という主張は、公共性への個人の関わり方を具体的な形で議論の俎上に載せた。「公共の福祉」にナショナリスティックな色彩を振りまいた社会奉仕義務化の提唱は、自己の肥大化を抑制することで、公共の福祉に奉仕しうる個人を形成できるはずだ、という見込みを前提としている。その意味で、子ども中心主義へのアンチテーゼと言ってよい。問題なのは、公共の単位が、国家へとパラフレーズしやすいことにある。奉仕の対象をどのような集団レベルに設定するのかには、多様性があるはずなのに、それを国家と一元化させようとする力が働くのだ。

その点を批判しようと、文部科学省（以下、文科省）とは別の立場に立つ子ども中心主義教育擁護派は、国家を、個人を抑圧するものとして非難する。しかし、「本当の自分」を正しさの根拠に置く限り、国家の枠組みとは異なる公共性を提示することにはなりにくい。

現代社会は、国家の枠組みに収まりきらない公共性の問題を多数抱えている。「国際社会」

というより大きな単位、地方自治というより小さな単位、さらには、NPO、NGOなどのエージェントの違いによる公共性など、国家による公共性の独占が許されない時代になっていることは間違いない。そして、そうした多様な公共の場をどのようにつくり上げていくか、そこにどう関わっていくのかを決定するのは、機能的な単位としての「個人」である。だからこそ、国家に回収されつくさない公共性を構想するためには、「本当の自分」の正しさとは別のところに、個人の基盤を置かなければならない。個人を、社会を構成するひとつの機能的なユニットと見なし、その力能を高めることを考えなければならないのに、「本当の自分」を起点にした教育では、その方法は手つかずのままになる。だから、「自ら考える力」の教育と言っても、「自ら考える力」の中身やそれがどのような社会的役割を果たしうる能力なのかについては、いっこうに具体像が見えないのである。

しかも、「本当の自分」を大切にする教育と言っても、実際には妥協の産物しか出てこない。日本の教師文化、学校文化になじんだ、教師にとって理想的な個性や子どものよさや興味関心が取り出されるだけなのだ。ことによると、暗黙のうちに集団への同調を強いる、「出る杭は打たれる」「くさいものには蓋」といった同調主義的な集団主義を温存したまま、その秩序に反しない限りでの「個性」や「自ら考える力」が肯定される事態が続いているのかもしれない。これでは教育改革がめざした、創造的で自立的な個人は育ってこない。日本社会の足かせだと言われる同調主義的な文化を壊すことはできないのである。

そもそも、日本社会の同調主義文化と、日本の子ども中心主義の教育とは、両立可能である。子どもの意欲と興味、関心にまかせた教育と言っても、それは、既存の教師文化・学校文化が許容する範囲のそれにとどまるのだから。カリキュラムや教授法のうえでは、「自ら考える力」の育成や個性重視の教育を行ったつもりでも、集団への同調圧力は弱まらないだろう。その理由は、暗黙のルールとされる「隠れたカリキュラム」としての同調主義文化に、教育改革が切り込めないからである。公式の教育課程（表のカリキュラム）をどんなに変えても、日常の学校文化に埋め込まれた「隠れたカリキュラム」が変わらない限り、社会関係のパターンを変更することは難しい。表向きの公式のカリキュラムが変わっても、個人の形成の仕方や社会関係のパターンといった社会のつくり方が変わるとは限らない。表のカリキュラム以上に「隠れたカリキュラム」が人びとの社会化に大きな影響を及ぼしている。教育の社会学研究が「隠れたカリキュラム」の発見によって明らかにしたこの知見は、無視できないのである。

既存の学校文化との妥協の産物として、カギカッコ付きの「個性主義」の教育が行われれば、同調主義を下敷きにした「弱い個人」を大量に生むだけだろう。そこに、前述の格差問題が絡まれば、ますます事態は複雑さを増し、改革の掲げる額面通りには進まなくなる。

その結果、同調主義に抗することのできない脆弱な個人が、階層的に分断され、批判的精神を備えることなく、社会奉仕へと向かう事態も想定できる。そうなったら、公共性と個人との関係はどのようなものになるのだろうか。

社会の機能的な単位としての「個人」の知的力能をどうやって育てていくのか。集合的に見れば、この課題は、社会全体の知的水準や教養の問題となる。それゆえ、すぐれて教育の問題であるはずなのに、大衆教育社会のもとでの「新しい学力」の教育はこうした論点には及ばない。これでは、ナショナリスティックな公共性の議論に押されるばかりである。

それにしても、なぜ、文科省は、一方で子ども中心主義の教育観を押し出しつつ、他方で、国家主義的色彩を持つ基本法の改正に手を出したり、奉仕活動義務化の提言に耳を貸すのか。こうしたねじれのもとで、「個人の形成」は、どのような問題をはらむことになるのか。これらを解明するためには、国家の役割の変容について検討しなければならない。

3　なぜ教育の実態把握が重要だったのか

国家の役割の変容

学力低下の問題提起の中で、私が一貫して批判してきたのは、教育の実態把握を欠いた改革の問題点であった。なぜ、実態把握や実証にこだわったのか。その第一の理由は、もちろん、実態がわからなければ、改革の具体的な手だてを考えることはできないという常識的な判断だった。

しかし、それと並んで、実態把握や実証、データを示すことにこだわったのは、情報化やグローバル化のもとで、国家の役割が変容していることを意識していたからである。以下、ここでは、国家の役割の変化として、(1)行政によるコントロールの仕方の変化、(2)福祉政策の変化、(3)新たなナショナリズムの台頭、という三点を中心に検討していこう。

はじめに、第一の変化についてである。

文部省（当時）対日教組の対立の時代に象徴されたように、かつて、教育政策における国家の役割は絶大なものと見なされていた。「入口」とプロセスの管理を中心に、国が定めた施策が全国津々浦々の学校でどのように実現しているのかをコントロールするのが、国家の役割だと思われていた。文部省は、教育を支配する、まさに巨大な権力機構だと信じられていたのである（私自身は、その時代でもどれほど強大な権力を持っていたのか疑問である）。

ところが、日本に限らず、教育政策における国家の役割が変容しつつある。第一の変化は、中央からの事細かな統制から、政策の大枠の提示と成果の評価へと、政府の役割が変わりつつある、ということだ。

中央からの統制では、もはや事態に対応できないほど、教育の世界でも変化のスピードが速まっている。しかも、教育へのニーズは多様化している。雇用市場や経済情勢、情報化や国際化など、教育以外の社会の諸領域での変化もスピードアップし、不確実性が増している。NPOや株式会社など、地方自治体以外の多様なエージェントが教育に関わるようになっている。

こうした変化に対応しようとすれば、教育政策においても、多様性と柔軟性を持った行政組織が求められるようになる。中央が指令を出し、そのプロセスの詳細をチェックし、一元的に管理するというやり方では、多様なニーズに素早く応えることはできない。しかも、国や地方財政の制約（日本の場合、危機的である）と、情報公開の流れから、使われた税金が有効であったのかどうかを示す、「説明責任（accountability）」が政府に求められるようになっている。その結果、国家の役割は、ガイドラインの提示と、政策の評価という点に重点を移すようになる、ということだ。

このような認識のもと、行政の領域では、分権化が進んでいくことになる。中央が統制するシステムから、ネットワーク型のシステムへと移ると同時に、政策実施のフィードバックのあり方にも変化が生じ、それが「評価」の重要性を押し上げるのである。

日本ではまだまだ中央の統制はゆるんでいないが、変化の方向性としては、そうならざるをえないだろう。

「自己責任」の論理と国家

もうひとつ、政策評価の重要性を押し上げた国家機能の変化がある。それは、先にも述べた福祉政策の変化ということである。日本においては、むしろ公共事業への依存が所得の再分配機能を果たしてきたと言われるが、そうしたバラマキができなくなるのである。さまざまな産業領域でも護送船団方式による国家の保護が弱まっていく。このような事態の中で強調されるようになったのが、「自己責任」の論理である。

私は、成人社会における自己責任の論理の強調は、ある意味で、もっともだと思っている。国家への依存体質を変えざるを得ないことは、これだけ危機的になった財政事情を見ても明らかだからだ。大企業を中心とした「終身雇用」の慣行も、地球的規模での経済状況の変化によって維持が難しくなっている。それだけ、職業世界における「自己責任」が求められるということだ。

しかしながら、職業に入る以前の段階で、どれだけの雇用能力を形成できるかは、個人の責任というばかりではない。どのような教育が提供され、それが実際にどのような成果を上げているか。教育を社会政策の有力なエージェントとして見るのであれば、教育の成果についての政策評価を欠くことはできない。その視点がなければ、学習の失敗も簡単に個人の責任とされてしまう。これでは、規制緩和と市場による競争原理を重視するニューリベラリズムと同じになる。

経済のグローバル化は、知識を基盤とした経済ナショナリズムを強化している。アメリカやイギリスといった国々が、教育予算を拡大し、学力向上に向けた改革を進めるのも、教育の強化こそが、付加価値を生む経済力の強化につながると見るからである。

同時に、イギリスのブレア政権が典型的に示すように、旧来の福祉国家から市場競争と自己責任原理を取り入れた「第三の道」をめざすには、責任を担いうる個人の能力の向上が欠かせない。それゆえ、そこでは教育が政策の要となる。しかも、教育を最優先課題に掲げて政権についたブレア首相は、一方でサッチャー以来の競争原理を維持しつつ、他方で、ニューリベラリズムの発想とは異なり、貧困地域の学校により多くの資源を投入したり、三〇人学級の実現をめざした。競争の出発点で不利な環境に置かれた人びとのハンディを少しでも除こうという政策を採っている。教育を個人と社会に対する「人的資本」増強策と見ているのである。

競争、自己責任の原則を強調するニューリベラリズムと異なり、不利な条件を補い、自己責任を担いうる個人の形成に教育をもってあたる。機会の均等策とは、競争のスタートラインをそろえることなしには公正さを欠くという認識をベースにしている。グローバル化のもとで、小さな政府が、経済力と社会の安定との両立を図る手だてとして教育を重視する理由はそこにある。ある程度の自己責任の論理と、福祉社会の論理とを調整するための場として、社会にとっても個人にとっても人的資本増強をもたらす教育が注目されるのである。

しかも、こうした施策を効率よく行い、それが税金に見合っているかどうかの説明責任を果たすことが求められている。イギリス流の評価の仕方については異論もあるが、評価とセットとなった施策である点は見逃せない。

政策評価の欠如

それに対し、日本の教育改革論議はどのようなものだったのだろうか。「ゆとり」と「生きる力」をめざす教育は、「教育の武装解除」とさえ呼ばれた。予算的裏づけもなく、条件整備も不十分なまま、「新学力観」や「生きる力」といった抽象的な学力観の転換を軸に、受験教育からの訣別をめざした。そして、理想の前で、実際に何が起きているのかさえ、十分に把握することなく改革が行われてきた。

日本においても、文科省は、細部にわたる官僚制的統制を弱め、各学校や教員、さらにそれを選ぶ個人に、これまで以上の選択を与える「競争的環境」をつくり出そうとしている。こう見ると、改革のキーワードが個性重視でも生きる力でもなく、「自己選択・自己責任」であることが浮かび上がる。

全体にゆとりを与える一方で、一部の者には質の高い学習を受ける機会の弾力化を図る。能力と意欲のある者にこれまで以上の多様なチャンスを与えることで、高度化した教育の要請に応えようというのである。学習指導要領を突如として「最低基準」化し、その最低保障については言及しないまま、発展的学習の奨励を行ったり、中等教育学校を増やしたり、学校選択制を容認したりといった、多様化・弾力化政策は、まさに、多様性への対応である。

ところが、実態はと言うと、学力の全体的水準の低下と格差拡大とが同時進行している。一人ひとりの学ぶ意欲を大切にしようとの改革のかけ声とは裏腹に、実際に生じたのは、学習離れと学習意欲の低下であった。それも、どのような家庭で生まれ育つかによる格差の拡大を伴ってである。教育における不平等の拡大は、卒業後の進路にも影響を及ぼしている。私たちの調査によれば、高卒者のうち就職も進学もしない無業者となる率は、親の職業が雇用の不安定な層の生徒の場合一八％と、全体の九％の二倍であった。保護者自身が不安定な職に就いている家庭の子どもほど、自らも不安定な進路をたどるのである。

一方では、知識を基盤にグローバル化する経済社会の舞台で、英語やインターネットを駆使し、世界中を飛び回り、ビジネスや芸術、学問などの分野で成功する人びとがいる。他方では、国際的な価格競争のもとで進むリストラや産業の空洞化の影響を受け、地域での安定した雇用を奪われる人びとが増え続ける。しかも、そこには家庭環境の差が色濃くにじむ。グローバル化は、国際的な貧富の格差を維持・拡大するだけでなく、国内的な不平等の拡大・再生産も引き起こしている。

しかも、そこでの有利不利は、知識への接近の機会と、それを利用する個人の知的能力の差に結びついている。知識の活用能力の格差拡大は、情報公開を基軸とする民主社会の基盤をも弱体化させる可能性があることは否定できないだろう。

このようなグローバル化の影響が強まる中で、規制緩和によってプロセスへの統制を縮小した行政にとって、個人の選択基準となる情報＝評価尺度を提供することが新たな役割となる。こうした行政の対応は、欧米の社会学者が「評価国家」と呼ぶものである。

ところが、日本では、大学教育の場合はひとまずおくとして、こうした政策評価の議論さえほとんど巻き起こらないまま、改革が行われてきた。教育改革の議論の場では、教育の不平等を論じるための基礎的データさえ未だに存在しない始末である。学力低下論に押されて、文科省は全国学力調査を実施したが、低下論がなければ、この調査も行われなかったかもしれないのだ。

自己選択・自己責任の名のもとに進行する規制緩和は、社会的な階層間格差や地域間格差を拡大せざるを得ない。選択を可能にする資源自体が不平等に存在するためである。一方で、国家の保護は弱まり、「自己責任」の論理が強められる。このような趨勢の中で、税金によって運営される公教育が、こうした格差の拡大にどのような対策をとり、どのような成果を上げているのか。ネオリベラリズム流の、「強い個人の仮説」を子どもにまで求める議論からも、大衆教育社会の下での子ども中心主義の議論からも、このような論点は出てこない。

こうした国家の役割変化の趨勢を念頭におけば、学力低下論争における実態把握の欠如が、たんに学習指導要領の改訂のための情報不足だったというだけではないことがわかるだろう。こと、教育政策においては、政策の評価によるフィードバックという発想自体がきわめて弱かった。国家の役割が、プロセスの管理から次第に退却し、自己責任の論理が強まる中で、行政の説明責任の基盤となるはずの実態把握の必要性はいや増してくるのである。

誰が、何のために、どのような評価を行うのか

ここにおいて、自己責任については問われても、制度の評価については論じられることのなかった意味が浮かび上がる。制度の評価という問題をも、点数主義や競争主義へのアレル

ギー体質でしか受け止められなかった日本の教育論の限界である。文科省が、学習指導要領の実施状況調査を渋った理由のひとつとして、かつての「学テ闘争」の時の苦い経験があったと言われる。大衆教育社会のもとでの、能力主義的差別選別教育を嫌う空気も強かった。しかも、いまでは、「新しい学力」の教育までが、この大衆教育社会の平等化圧力の下におかれることになったのだ。行政の側にも、教育研究者の側にも、「ペーパーテスト」や数値で示される評価を避ける傾向があったことは否定できない。遠い過去となったはずの「学テ闘争」や「差別選別教育」のトラウマである。

もちろん、このトラウマにも一定の現代的な意味がある。国家の縮小と評価の重要性の高まりの中で、評価のヘゲモニー争いが今後重要になることを思えば、国家による学力の一元的評価が争点となった「学テ闘争」の現代的な意味が浮かび上がってくるということだ。

誰が、何(誰)のために、どのように政策評価を行うのか。この問題は、評価のあり方次第で、政策へのフィードバックのかかり方が違ってくるだけに、重要な論点となる。教育の分野でも今後は、評価をめぐるポリティクスが次なる政策を左右する重要な意味を持つようになるのである。

このような事態を予測すると、ペーパーテストへの忌避感から、評価の権利を放棄してしまうことは、あまりにナイーブな対応と言えるだろう。誰が、何のために、どのような評価を行うのかをめぐる争いに参加し、よりましな評価を求めるのか、あるいは評価の権限を国家に任せきりにするのか。数値で示せる評価に限らず、方法は多様にあり、それらをどう組み合わせて有効なフィードバックとなる評価にするのかが求められている。その時に、その入口のところで尻込みをしてしまえば、評価のヘゲモニーは国家に独占されてしまう。情報公開を求めるのと同じように、評価のやり方についての透明性を高め、そこにどのように参加していくのかを論じていくべきだろう。

このように評価が重要になるのは、国家の政策評価の面に限らない。むしろ、前述の通り、分権化が進む中で、それぞれの地域のニーズに根ざした教育改革が求められている。いまだ不完全とはいえ国はその大枠を決めるにとどまり、実際の具体策はそれぞれの地域で考えるという方向に次第に変わりつつあるからだ。

つまり、教育改革そのものの多様化が進んでいくと予想されるのである。この点でも国家の役割は変わらざるを得ない。すでに、いくつかの先進的な地域では、県や市町村を単位に、ユニークな改革が着手されている。そうした改革が、どのような成果を収めているのかを評価し、その経験を共有するためにも、評価のための実態把握は重要となる。

本筋を離れるが、学力低下論争を通じて、批判はするが代案は出ないのか、という指摘をたびたび受けた。私としては、自分の考えに基づく代案を出すつもりは最初からなかった。

改革をリードする理念をひねり出すだけの力量も専門的な知識もないし、実践をリードしてきた経験もないからである。

しかも、そうした自分の能力の限界は別として、代案はすでにどこかに存在するという考えを持っていた。国の内外を問わず、どこかに存在する多様な試みの中にしか、現実的な代案は出てこない、という見込みを持ってである。

ただし、それぞれの地域で行われている「地方からの教育改革」をどのようなものととらえるのかについては、多くの課題が残されている。それをどのように評価するかによって、それぞれの経験から学べる知識の価値が違ってくるからである。そういう評価という付加価値を加えた教育改革の「実践記録」を積み上げていくことで、現実的な代案も見つかるだろう。教育改革について言えば、日本に唯一の「正解」などあろうはずがない。多様なニーズに応じた多様な試みを、評価を通して共有可能なモデルに仕立て上げていくことが代案づくりにつながるのである。

教育基本法改正をめぐって

このような意味で言うと、国家による統制の仕組みの変化（第一の変化）、福祉政策の変化（第二の変化）と並んで、国家の役割をめぐるもうひとつの重要な変化についても、実態把握をもとにした評価の役割が決定的となる。最後に、最近の教育基本法をめぐる動きとからめて、この第三の国家の変容と評価の問題から、日本の教育論議の限界を明らかにしておこう。

前述のように、グローバル化が進む中で、国家の内部での不平等も拡大しつつある。しかも、人、モノ、金、情報がやすやすと国境を越えることになった結果、国家は求心力を失いつつある。個人主義を自己の真正性と重ねる「本当の自分」探しへの傾斜も、自己責任論理のもとで進む階層化も、この傾向に拍車をかける。このような事態に対し、「国を愛する心」を強調しようとする保守派の動きが活発になっている。(注5)

日本では、二〇〇三年三月に、中央教育審議会が、教育基本法の改正に向けた最終答申を出した。そこには、新たに教育の理念として追加されるべき、八つの項目が提案されている。その中に「社会の形成に主体的に参画する『公共』の精神、道徳心、自律心の涵養」と「日本の伝統・文化の尊重、郷土や国を愛する心と国際社会の一員としての意識の涵養」の二つがある。後者の「国を愛する心」の部分については、改正の反対派から、戦前回帰につながる国家主義的「改悪」だとの批判が出されている。さらには、「『公共』の精神、道徳心、自律心の涵養」にしても、個人より「公」を上に置く考え方だとの批判がある。

しかし、答申を詳しく読むと、前者の「公共の精神」の件については、「21世紀の国家・社会の形成に主体的に参画する日本人の育成を図るため、政治や社会に関する豊かな知識や判断力、批判的精神を持って自ら考え、『公共』に主体的に参画し、公正なルールを形成し遵守することを尊重する意識や態度を涵養することが重要であり、これらの視点を明確にする」という説明が付けられている。しかも、「なお、国を愛する心を大切にすることや我が国の伝統・文化を理解し尊重することが、国家至上主義的考え方や全体主義的なものになってはならないことは言うまでもない」との但し書き付きである。

これだけを読めば、「批判的精神」を持つ国民が、そうやすやすと戦前のような国家至上主義者にはならないのではないかと思えてしまう。その反面、反対派の主張は過度な心配のように見えてくる。答申の文面を読む限り、なるほど単純な国家主義を唱えているわけではないのである。その意味で、反対派の議論は、古い枠組みにこだわるあまり、答申の真意とすれ違っている印象さえ与える。

ところが、これまでの議論をふまえると、この答申の問題点が浮かんでくる。文科省は、一方で個性重視の教育改革を推し進めつつ、他方で、「国を愛する心」の涵養を提唱する。この両者は、何によって矛盾なく結ばれるのだろうか。

私は、一部の論者が言うように、文科省が計算ずくでこうした政策を採ろうとしているとは見ない。つまり、一方で不平等化を放置しつつ子ども中心主義の教育を進め、他方で、そこでゆるんだ国家の統合を教育基本法改正や社会奉仕活動を通じて、イデオロギー的に再統合させようとしているという陰謀説を当面はとらないのである。むしろ文科省は、楽観的な「裸の王様」だというのが今のところの私の見方だ。

おそらく、新しい「公共の精神」をつくり上げることで、昔ながらの国家主義に直結しない、「国を愛する心」の育成ができると、文科省は素朴に信じているのだろう。あるいは、たんに、政治家からの要請に応えようとして、妥協の産物として、こうした表現が入ったのかもしれないが。

ただ、この答申の文面を見る限り、露骨な国家主義に向かおうとしていないことは確かだ。いや、だからこそ、「本当の自分」を大切だと見なす個性主義の教育と、「国を愛する心」の涵養とが両立すると考えられているのである。進歩派の批判を杞憂として退けつつ、両者を並び立たせているのは、「批判的精神を持って自ら考え」る力の教育という大枠の提示である。この大枠提示によって、国家至上主義への傾斜という批判は、肩すかしを食らう。ところが、これまでの議論をふまえれば、この抽象的にすぎる大枠の提示こそが、評価との関係において問題となるのである。

「生きる力」と「国を愛する力」

「自ら考える力」の教育が実現できると、何の検証もなく机上の議論として素朴に教育改革を提言してきた改革論者の感覚をベースにおけば、今回の答申でも書かれているように、その延長線上に、「批判的精神を持って自ら考え、『公共』に主体的に参画」する「個人」の形成ができることも容易に提言することができるだろう。言葉のうえではなるほど、国家至上主義への歯止めがかかっている。

しかしながら、子ども中心主義が「個人」と「自己」を峻別できず、弱い個人しか形成できない可能性については目に入っていない。だから、この楽観的な大枠の提示は偶然の産物とは言えない。こうした点を含めて文科省の素朴さを見て取ると、机上の議論としては、一方で国を愛する心の教育を謳い、他方で、批判的な精神の育成を図り、それによって新しい「公共」をつくり出そうとする淡い期待感が見えてくる。つまり、本当にできるかどうかは別にして、そうなればいいという楽観的な見方をもとに、ここでも美しい世界を描き出そうとしているのだ。具体策は各学校や教師の「創意工夫」に任せて、国は大枠を示すにとどまる。評価が問われないからこそ、実現可能性を考慮に入れずとも、改革の大枠を示すことができる。この構図は「生きる力」の教育改革と同じである。

したがって、問題は、ここで掲げられている「徳目」が基本法にどう記載されるかにとどまらず、実際の教育を通じてどのように実行され、成果を上げるかにある（私個人としては、こうした徳目を基本法に入れること自体に疑問を持っている）。素朴に理念を打ち出す裸の王様は、たとえ裸であっても王様だ。多くの人びとが、裸であることに気づいても、誰かが「裸だ」と叫ぶまでは、王様自身は裸であることに気づかない。しかも、権力を持っている。だから、王様が裸であることをこうして示しつつ、その力の行使をチェックしていく評価が重要となる。（注6）

そうだとしても、「国を愛する心」のほうは、学校での儀式や儀礼を通じて、国家というまとまりを自明視させるカリキュラムを用意することが比較的容易である。それがどのようなナショナル・アイデンティティを生み出すことになるかは別問題だとしても、「日本人」としてのアイデンティティをあたりまえのこととして受け入れるだけの「伝統の発明」は十分可能だろう。郷土の延長線上に、日本人であることを疑わない、素朴な愛国心を付け加えることくらいは、学校にもできることだ。

それに対し、「政治や社会に関する豊かな知識や判断力、批判的精神を持って自ら考える力の育成ができるかどうかは、それほど明確ではない。すでに述べた「自分で考える力」の教育が不明確な方法しか持っていないことと同じ問題である。

この教授法上のアンバランスは、いかんともしがたい。それを放置したままであれば、反対派が懸念するように、教育基本法の改正は、精神論や道徳教育を通じて、国家の統合を図る動きにしかならないだろう。これでは、「本当の自分」探しと自己責任の論理のもとでむき出しされた〈個人〉が、ナショナリズムという薄い精神の膜を羽織っただけでグローバル化と向き合うことになる。

たしかに、新しい公共性をつくり出していくことは、必要である。それを担う自立した個人の育成も不可欠だ。そして、それに見合った国家による統治（ガバナンス）のあり方にも変更が加えられなければならないだろう。だからこそ、国家や社会の機能的な一単位としての「個人」の形成を、「本当の自分」探しと安易に結びつける議論には賛同できないのである。「批判的精神」の担い手をどうすれば育成できるのか、国がどれだけそのことをサポートしていくのか。その具体策と成果を厳しくチェックしつつ、自己の真正性の罠に陥らない個人の形成の具体的な方法を探っていく必要がある。

前述した、不平等化の実態把握とそれへの対策の成果についての評価にとどまらず、中央教育審議会が提言した「批判的精神を持って自ら考え」る力の育成が、実際にどのように行われ、どういう成果を上げているか。その説明責任を不断に求めていかなければならないのである。そして、それがある程度、実をあげることになれば、国家主義への傾斜にも歯止めをかけられるだろう。だから、評価のヘゲモニーを誰が握るのかが、ここでも重要になるのだ。情報公開と説明責任を求める権利を、誰が、何のために、どのように行使するかという問題である。

現実をくぐり抜けた理想へ

このように見てくると、教育をめぐる議論が、原理原則をめぐる理念的な論争から、実効性や成果といった「程度をめぐる問題」へとシフトしていることがわかる。ひとつの原理に基づいて教育政策を実行することが困難となっている以上、多様性と柔軟性をもとにする教育行政の仕組みは、「いかに実行するか」と「どれだけできているか」という程度の問題を中心に、つねに評価とフィードバックにさらされるようになる、ということだ。データの提示に固執した私のねらいも、教育の議論をこの評価のとば口に立たせることにあった。

イデオロギー的な対立の図式も、all or nothing 式の選択に終わるよりも、多くの場合、程度の問題とならざるを得ない。私たちの社会が価値の多様性を許容するものになっているからだ。そこでは多様な選択肢のそれぞれがどの程度実現できるのかが問題となる。だからこそ、程度の問題を、誰が、何のために、どう評価するのかが重要になるのだ。あとは、その評価結果を人びとがどのように読みこなし、解釈し、政策的なフィードバックをかけていくかである。観念論に終始した教育論や、理想と実行過程を切り離した教育改革論が無効になるのは、このフィードバックによる改善のループを排除してしまうからである。

何が重要な論点であるのかを提示するうえで、いまだに理想論は有効な道しるべを提供できる。私はそのことを否定しない。ただ、それがどれだけ現実のものとなるかに議論がシフトしたとたんに、現実を無視した理想論が、現実の問題を覆い隠すイデオロギーへと転化してしまう。そのことには十分気をつけなければならない。そして、実際に、これまで述べてきたように、そうなるケースが少なくないのだ。

実態把握による評価は、理想論の代わりになるものではない。理想を掲げることは依然として重要である。データはデータでしかない。むしろ、教育の理想を「生きて働く力」とするための道具である。このリアリズムを忘れてしまうと、教育論議は不毛になる。現実をくぐり抜ける理想を鍛え上げるうえで、評価の働きは大きいのである。もちろん、実証研究は万能ではない。当然ながら、調査の方法にも限界はある。だが、使いようによっては、有効な道具になる。そのことがある程度浸透しただけでも、学力低下論争に加わった意味がある。

もはや、現実を無視した理想論にも、イデオロギー論争にも戻れない。後戻りが許されないのは、学力低下論争を経てしまったからではない。この論争を裏で支えた、時代の地殻変動が止まらないからである。その変化を見通し、どのような教育をつくりあげていくのか。不毛な教育論議を繰り返しているうちに、「カウントダウン」が終わってしまうことだけは避けなければならない。

〈注〉

1）たとえば、今回の学習指導要領の改訂につながる教育改革の路線を決めた中教審答申には、「今日の変化の激しい社会にあって、言わゆる知識の陳腐化が早まり、学校時代に獲得した知識を大事に保持していれば済むということはもはや許されず、不断にリフレッシュすることが求められるようになっている」という文明観が示され、それゆえ、知識の量よりも、考えたり判断する力が重要だとの教育改革の指針が示されている。しかし、新しい知識を理解するうえでの基盤となるような知識が不十分であれば、「不断にリフレッシュ」することもできない。情報化社会では知識がすぐに古くなる、だから知識を教えることは意味がないとする判断は、新しい知識の理解がそれ以前の知識との関連抜きに可能だと見なさない限り、正しいとは言えない。この点ひとつとってみても、印象論的な文明観をもとに、それに対応できる教育の手段を安易に特定していることが明らかとなる。以上の議論について詳しくは、拙著『教育改革の幻想』を参考にしてほしい。

2）日本では、先に説明した意味での「個人」を重視する個人主義の考え方と、ここで言う「本当の自分」の問題とが十分に識別されずに、ともに「個人主義の行き過ぎ」として批判されることが少なくない。両者を十分に識別できないことが、安易な共同体主義や国家主義と、基盤の脆弱な「自分主義」との不毛な対立を生み出してきたのである。

3）その陰で、前節で述べたような、新しい学力の階層差が拡大しているとすれば、なおさらのこと、公教育はその社会的責任を果たしていないことになる。

4）ここには、金子勝の言う「強い個人の仮説」の誤謬がある。この問題を教育に引きつけた議論としては、拙著『階層化日本と教育危機』を参考にしてほしい。

5）ただし、グローバル化のもとでナショナル・アイデンティティを補強しようという動きは、日本だけのものではない。

6）文科省自身がそのことを自覚している限りでだが、私は、裸の王様のほうが、鎧をまとった王様よりずっとよいと思っている。評価とフィードバックが有効に働くようになれば、具体策は地方やほかのエージェントに任せて、国レベルで理念を掲げる役割を果たしていけばよいと考えるからだ。

　言いたいことを本音で言えない裸の王様をつくり出したのも、教育論議の歴史である。その不毛さを建設的な議論に変えていければ、王様の役割も変わってくるのかもしれない。

あとがき

教育の論じ方を変えたい。この数年、教育改革をめぐる議論に関わる中で、強く感じていたことである。論じ方を変えることは、教育の見方を変えることでもある。そして、見方が変われば、対処の仕方、評価の仕方も変わる。議論のねじれが、ねじれとして見えてくる。論じられない問題の中に重要な論点が含まれていること、甘美で饒舌な言葉で形容されるスローガンに中身がないこと、理想が現実を引っ張る力を失っていること、こうしたことにも目が向けられるようになるだろう。あげていけばきりがないが、ありきたりの論じ方によって思考停止に陥る教育論議の不毛さに、すでに多くの人びとが気づいている。ただ、気づいていても、どのように論じ方を変えればいいのか。そこまでは十分に示されていないようだ。

この本を通じて、私が伝えようとしていることが、「正しい」主張だ、と言いたいわけではない。そのような位置づけをしたとたんに、私の言説もまた、不毛な教育論議の一部に組み入れられてしまう。教育の見方、論じ方をつねに「反省的（リフレクティブ）」にとらえなおしていく姿勢、論拠を明確に提示しつつ、論じ方への（自己）評価を怠らない言説空間を生み出すことが、思考停止につながらない教育の論議を不毛にしない手だてである。今のところは、そう考えている。そのために、ステレオタイプの対立軸や議論の枠組みを、その前提にまで目を向けることで、メタのレベルでとらえなおしていきたい。教育の実態との関係も示していきたい。そういう働きかけのプロセスが、少しでも本書で表現されているとすれば、著者としては胸をなで下ろす次第である。

その意味で、この本に示されているのは、私自身の「働きかけ」の軌跡である。それらをまとめて、読者のみなさんの目にさらすことで、さらに「反省」の度を深めていく。そんなことができれば、教育論議の不毛さを取り除く、絶えざるプロセスのひとつとなるのではないか。そう願っている。

この本は、ふとしたきっかけから生まれた、私にとっては「予定外」の本である。中公新書ラクレ『論争・学力崩壊2003』の一部として、編者の中井浩一さんからインタビューの依頼を受けた。前著『論争・学力崩壊』の解説を読んだ時、「論争」に関わった一人として、イデオロギー批判や、あれかこれかの安易な学力定義論を避け、問題の本質に迫ろうとしている中井さんの姿勢に共感を覚えた。だから、一度お会いして話をしてみるのも面白いだろう。そんな気分でお引き受けしたのだが、なかなか鋭い、つっこんだ質問を受け、思わず、論じる側の「種明かし」をしてしまった。

下手な種明かしなどしたところで、どんなものかと思っていたが、ひとから聞かれることで、

「反省」作用が働いた。自分だけなら、おそらくそこまで表現することはないだろうと思っていた話にまで及びもした。そして、膨大なテープ起こしのファイルが送られてきた時、それらを自分なりの書き言葉で表現し直したい、という欲求に駆られた。話し言葉には話し言葉のよさもあるが、限界もある。さらに「反省」の作用を深めるためには、書き言葉で問題をとらえ直すことが不可欠だと思ったのである。

そんな時に、編集部の黒田剛史さんから、このインタビューを中心に、ラクレの一冊として出しませんかというお話を頂いた。インタビューでは、教育の論じ方が中心テーマとなっている。黒田さんが月刊『中央公論』編集部にいた時に担当していただき、本書に掲載した「時評」も、教育の論じ方を変えることを隠れたテーマにした文章であった。時を隔てているとはいえ、それならば、決して古すぎることもないでしょう、というお誘いだった。若干古くさくなったテーマもあるのだが、それでも、教育の論じ方の軌跡を示す「データ」としての意味はあるだろう、と思った。

たしかに、冒頭にも書いたように、ある時期から、私は日本での教育の論じ方を変える必要性を強く感じながら、ものを書いてきた。そういう隠れた主張に一貫性を持たせる書物をつくってもいいのかもしれない。それにもまして、中井さんが引き出してくれた「論争」の「種明かし」を楽屋話に終わらせないためにも、自分の書き言葉で問題点を引き受け、まとめてみたいという思いが強くあった。予定した量の何倍にもふくれあがった終章は、こうした意図を持って書き下ろされたものである。

本書は、私にとって、教育の論じ方をテーマとしたものであると同時に、「学力低下」論争からの訣別の書でもある。別に、学力問題のブームが去ったからというわけではない。ブームとしてしか教育問題を論じることができない日本の教育の論じ方を、次のステップにつなげていくために必要な終了宣言のつもりである。もちろん、教育について論じることをやめるわけではない。第1部や終章で述べた、さまざまな深刻な問題が山積みされている。これらの問題を含め、しばらくは研究に沈潜しながら、大きな時代の変動を見通せる新しい視点を次に提供できればと願っている。

最後になるが、本書のきっかけを作っていただいた、中井浩一さん、ラクレ編集部の黒田剛史さん、そして、個々のお名前はあげないが、本書に収めた論考を書く機会を与えてくださった、それぞれのメディアの担当者のみなさんに、感謝の言葉を伝えたい。

なお、その時々に書いた雑誌や新聞の文章については、最低限の字句や表現の修正を行ったほかは、ほぼそのままにしてある。「データ」としての意味を重視したからである。その点で、今からみれば、思い違いや誤りがあるかもしれない。その点はご容赦願いたい。

二〇〇三年四月

苅谷剛彦

初出一覧

（　）内は発表時のもの

序　教育の論じ方を変える（教育の社会学的研究をめざして）『論座』二〇〇二年二月号

第一部　学力低下論争の次に来るもの（語り下し）

プレイバック　論争の問題提起①（新学習指導要領案公表　学力格差拡大の恐れ）『毎日新聞』一九九八年十一月十九日朝刊

プレイバック　論争の問題提起②（階層間で二極分化の傾向　教育の不平等拡大のおそれ）『朝日新聞』一九九九年一月十一日夕刊

プレイバック　論争の問題提起③（「21世紀への視座」苅谷剛彦さんと考える「教育システム」）『読売新聞』一九九九年四月二日夕刊

第二部　なぜ教育論争は不毛なのか　メディア篇（『読売新聞』「メディア時評」）

1　独立行政法人化報道に欠ける「そもそも論」（国立大の改革論議、行政法人化が好機）一九九九年十月十五日朝刊

2　消費される「動機理解」の事件報道（「動機理解」の報道で事件の本質見えるか）一九九九年十二月二十四日朝刊
3　入試を複眼的に検証せよ（選抜から「教育」へ　入試問い直す必要）二〇〇〇年三月二十四日朝刊
4　選挙報道に求められる具体的な教育政策（各党の教育改革、具体策に重点を）二〇〇〇年六月二十五日朝刊
5　教育報道の日米比較（教育と社会の関係、直接示す米の報道）二〇〇〇年八月二十七日朝刊

第三部　なぜ教育論争は不毛なのか　行政・政治篇（特記以外は『中央公論』「時評2001」）
1　「学習指導要領」の方針大転換　二〇〇一年一月号
2　教育改革国民会議を読み解く　二〇〇一年二月号
3　国会は教育を論じうるか　二〇〇一年三月号
4　大学全入・全卒時代にどう対処するか（大学全入・全卒時代の到来は八年後）二〇〇一年四月号
5　「歴史教科書論争」と検定制度（「歴史教科書」論争を縛る国家幻想）二〇〇一年五月号
6　現場を混乱させた「学習指導要領＝最低基準」発言（「薄くなった教科書」の波紋）

二〇〇一年六月号

7　地方選挙が変われば教育も変わる　二〇〇一年七月号

8　情報公開と説明責任（成果の検証なくしてさらなる教育改革なし）二〇〇一年八月号

9　文科省に求められる制度の再設計（「ゆとり教育」のゆがみ）『毎日新聞』二〇〇一年五月六日夕刊

10　一転「確かな学力」へ――「二分法」でいいのか（学力論をどう乗り越えるか）『朝日新聞』二〇〇二年二月二十日夕刊

11　全国学力調査から考える『日本経済新聞』二〇〇三年一月二十五日朝刊

終章　隠された「新しい対立軸」をあぶり出す（書き下し）

中公新書ラクレ　88

なぜ教育論争《きょういくろんそう》は不毛《ふもう》なのか
学力論争《がくりょくろんそう》を超《こ》えて

2003年 5月1日印刷
2003年 5月10日発行

苅《かり》谷《や》剛彦《たけひこ》　著

発行者　中村　仁
発行所　中央公論新社
〒104-8320
東京都中央区京橋2-8-7
電話　販売部　03-3563-1431
　　　編集部　03-3563-3669
振替　00120-5-104508
URL http://www.chuko.co.jp/

本文印刷　三晃印刷
カバー印刷　大熊整美堂
製　　本　小泉製本

定価はカバーに表示してあります。
落丁本・乱丁本はお手数ですが小社販売部宛にお送りください。送料小社負担にてお取り替えいたします。

ISBN4-12-150088-1　C1237

中公新書ラクレ刊行のことば

世界と日本は大きな地殻変動の中で21世紀を迎えました。時代や社会はどう移り変わるのか。人はどう思索し、行動するのか。答えが容易に見つからない問いは増えるばかりです。1962年、中公新書創刊にあたって、わたしたちは「事実のみの持つ無条件の説得力を発揮させること」を自らに課しました。今わたしたちは、中公新書の新しいシリーズ「中公新書ラクレ」において、この原点を再確認するとともに、時代が直面している課題に正面から答えます。「中公新書ラクレ」は小社が19世紀、20世紀という二つの世紀をまたいで培ってきた本づくりの伝統を基盤に、多様なジャーナリズムの手法と精神を触媒にして、より逞しい知を導く「鍵《ラ・クレ》」となるべく努力します。

2001年3月